ff dimmen!

Openbare

Steenenstraat 24
3262 JM Oud-Beijerland

Bibliotheek

Els Rooijers
Met tekeningen van Juliette de Wit

Zwijsen

Toegekend door KPC Groep te 's-Hertogenbosch

1e druk 2007

ISBN 978-90-276-0620-4
NUR 283

© 2007 Tekst: Els Rooijers
Illustraties: Juliette de Wit
Omslagfoto: Marijn Olislagers
Vormgeving: Eefje Kuijl
Uitgeverij Zwijsen B.V., Tilburg

Voor België:
Zwijsen-Infoboek, Meerhout
D/2007/1919/167

Behoudens de in of krachtens de Auteurswet van 1912 gestelde uitzonderingen mag niets uit deze uitgave worden verveelvoudigd, opgeslagen in een geautomatiseerd gegevensbestand, of openbaar gemaakt, in enige vorm of op enige wijze, hetzij elektronisch, mechanisch, door fotokopieën, opnamen of enige andere manier, zonder voorafgaande schriftelijke toestemming van de uitgever. Voor zover het maken van reprografische verveelvoudigingen uit deze uitgave is toegestaan op grond van artikel 16 h Auteurswet 1912 dient men de daarvoor wettelijk verschuldigde vergoedingen te voldoen aan de Stichting Reprorecht (Postbus 3060, 2130 KB, Hoofddorp, www.reprorecht.nl).
Voor het overnemen van gedeelte(n) uit deze uitgave in bloemlezingen, readers en andere compilatiewerken (artikel 16 Auteurswet 1912) kan men zich wenden tot de Stichting PRO (Stichting Publicatie- en Reproductierechten Organisatie, Postbus 3060, 2130 KB Hoofddorp, www.cedar.nl/pro).

Inhoud

Pesten op internet

Mailen, chatten, msn'en: via internet kun je met de hele wereld kletsen. Reuzehandig. Maar als dat kletsen verandert in schelden, is het ineens een stuk minder leuk. Daarom startte vorige week de actie: Stop digitaal pesten.

Vier van elke tien kinderen tussen de 8 en 15 jaar worden wel eens uitgescholden bij het chatten of msn'en. Dat blijkt uit een Nederlands onderzoek van vorige maand. Drie van elke tien kinderen geven toe zelf wel eens te pesten. Tijd voor actie, vond de stichting SIRE. Op posters en in reclames op tv zie je een keurig meisje. Maar op internet is ze niet zo netjes en scheldt ze er flink op los.

Wij vroegen aan twee van onze lezers of zij ook wel eens met digitaal pesten te maken hebben. Roos (11 jaar): 'Ik word zelf eigenlijk nooit gepest op msn of zo. Ik pest zelf ook niet. De mensen die dat doen vind ik gewoon heel erg dom.' Aito (9 jaar) gebruikt internet niet zo vaak. 'Ik weet ook niet of ik wel op msn wil. Ik hoor er meer nare berichten over dan leuke. Twee weken geleden kregen we ook een brief mee naar huis van de juf.
Het ging over msn.
Ze wilde graag dat ouders ook opletten dat er geen nare msn-berichten worden doorgestuurd.'

(uit: Kidsweek)

1 Super sukkel is online

‘Hier die bal! Sukkel, kijk dan uit je doppen! Ik sta vrij! Dat zie je toch!’

Daar heb je Marnix weer met zijn grote tetter, denkt Thijs.

Nu ík niet meedoe, kan hij scoren zoveel als hij wil. Niemand die de bal van hem afpakt. Niemand die hem tegenhoudt. Eindelijk heeft hij zijn zin.

Het is woensdagmiddag en de zon schijnt door het openstaande raam naar binnen. Thijs ligt op bed met zijn gezicht naar de muur. Een naar gevoel knaagt in zijn buik.

‘Ja, hier die bal!’ klinkt de stem van Marnix weer. ‘Op mij! Vlug! Speel op mij! Sukkel, wat doe je nou!’

Ik zou Marnix graag een lesje leren, denkt Thijs. De bal afpakken en hem dollen tot hij er scheel van ziet. Dan om hem heen en scoren. Telkens weer. Net zo lang totdat hij vloekend naar huis gaat. Zal ik het doen? Zal ik het erop wagen?

Thijs kijkt naar zijn bureau. Het scherm van zijn computer is gevuld met een foto van Klaas-Jan Huntelaar.

En als Marnix nou echt doet wat hij zegt? denkt hij. Mij met een groep gasten in elkaar slaan als ik toch kom voetballen? Thijs huivert. Nee, ik blijf maar liever binnen.

Hij gaat achter zijn computer zitten, opent zijn msn en typt zijn wachtwoord in.

Sylvia is online, ziet hij, en Fatima en nog een stel meiden uit zijn klas. Geen jongens. Die zijn natuurlijk lekker aan het voetballen.

☺ Bella Btrix zegt:

Ga zo shoppe met me ma

☺ Syllie Sil zegt:

Schoenen?

☺ Bella Btrix zegt:

☺ Ja, eindelijk! Haha ☺

☺ Syllie Sil zegt:

☺ ☺ ☺ ***Cool !*** ☺ ☺ ☺

☺ Syllie Sil zegt:

☹ ☹ ☹ ***w8 ff, super sukkel is online*** ☹ ☹ ☹

☺ Bella Btrix zegt:

☹ ☹ ☹ Bedoel je sukkel Thijs? ☹ ☹ ☹

☺ Syllie Sil zegt:

☹ ☺ ☺ ***Ja die! Hahahahaha*** ☺ ☺ ☺

☺ Syllie Sil zegt:

☹ ☹ ☹ ***Hahaha! tis een mietje, zegt Marnix*** ☹☹

Thijs kijkt met grote ogen naar het scherm. Met stoel en al schiet hij naar achteren.

'Wát?' roept hij uit. 'Hebben die meiden het over mij!

Waarom? Wat heb ik ze gedaan?' Hij staat op en ijsbeert door de kamer.

Het komt door Marnix, denkt hij. Dat joch zet iedereen tegen mij op.

'Stelletje sukkels, ik kap ermee!' schreeuwt Marnix buiten. 'Noemen jullie dit voetballen? Serieus, jullie bakken er niks van!'

Thijs gluurt vanachter zijn gordijn naar het voetbalveldje. Het ligt er nu verlaten bij.

Ik moet iets doen, maalt het door zijn hoofd. Ik moet die meiden laten merken dat ik niet bang ben voor Marnix. Dat hijzelf het grootste mietje is.

Alleen al bij het idee slaat het zweet hem aan alle kanten uit. In plaats van naar de computer te gaan, loopt hij weer rondjes langs de randen van zijn vloerkleed.

Dan, opeens, gaat hij toch weer op zijn stoel zitten en timmeren zijn vingertoppen op de toetsen.

☺ Superfan Huntelaar zegt:

☹☹☹ **Marnix** is zelf een **mietje**! ☹☹☹

☺ Superfan Huntelaar zegt:

☹☹ En voetballen kan-ie ook niet!!!! Ze laten hem gewoon winnen omdat ze bang zijn voor die sukkel!!! ☹☹☹

Tevreden kijkt Thijs naar het scherm. Zo! Dat heeft hij toch maar even mooi gedaan! Nu weten die meiden dat hij niet bang is voor die ellendige sukkel.
Als er een paar tellen later antwoord komt, voelt Thijs zijn maag omhoogschieten.

☹☹☹ Slachter Mnix zegt:

☹☹Thijs, vuile rat! Je moet je bek houe! ☹☹

Hoe kan dat? Marnix heeft zich aangemeld! En daarnet was hij nog aan het voetballen …

☹☹☹ Slachter Mnix zegt:

☹☹☹ Rat! *@%#%&!!! Nu ga je eraan!!!!!!☹☹☹

☹☹☹ Slachter Mnix zegt:

☹☹☹ Ik maak $tinking gehakt van je!!!! ☹☹☹

☺ Superfan Huntelaar zegt:

☺☺ Hahaha!!!! Die Marnix!!! Was maar een geintje, hoor!☺☺

Thijs typt met het water in zijn handen. Ik moet het goedmaken, denkt hij. Anders kan ik nooit meer naar buiten. Dus ook niet naar training. Dan kan ik mijn plek in de selectie wel vergeten …

☹☹☹ Slachter Mnix zegt:

☹☹☹ Geintje? My $tin#*king ass! ☹☹☹

☹☹☹ Slachter Mnix zegt:

☹☹☹ Zal je eens een leuk geintje late

voele!!! ☹☹☹ Kom er nu aan!!! ☹☹☹

Help! Thijs weet even niet meer wat hij moet doen. ‘Mam!’ roept hij langs de trap naar beneden. ‘Mam! Als er iemand aan de deur komt, zeg dan maar dat ik weg ben! Ik heb geen tijd om te spelen. Ik moet een werkstuk afmaken!’

2 Een hart met wat ruimte

De moeder van Thijs bladert door de papieren die voor haar op tafel liggen. Haar ogen gaan naar de foto van een meisje.

Isa, denkt ze, Isa … wat een leuke naam.

Met haar kin steunend op haar hand staart ze voor zich uit.

Het zou voor Thijs ook goed zijn als Isa in huis komt, denkt ze. Hij zit zoveel op zijn kamer de laatste tijd. En nu mag ik niet eens kinderen binnenlaten om te spelen.

Ze kijkt weer naar de foto van Isa. Haar blik glijdt naar het logo ernaast. Een rood hart met de tekst: "Wij zoeken nog een hart met wat ruimte."

Ruimte hebben we genoeg, denkt de moeder van Thijs. En niet alleen in ons hart, maar ook in ons huis. Isa zou de kamer naast die van Thijs kunnen krijgen. Het is een mooie kamer, lekker licht …

Ze legt de papieren neer en loopt naar de keuken.

'Thijs!' roept ze naar boven als ze water opgezet heeft. 'Thijs, er is thee.'

'Hoeft niet! Geen dorst!' schreeuwt Thijs terug.

'Kom toch maar.'

'Waarom?'

'Gewoon, even praten.'

'Toch maar wel een kopje thee?' vraagt mam als Thijs met

hangende schouders de trap af komt.

‘Oké dan.’

Mam zet een dienblad met thee en koekjes neer.

‘Kijk, ik heb spritsen,’ zegt ze. ‘Die vind je toch zo lekker?’

Thijs haalt zijn schouders op en kijkt langs haar heen.

‘Wat is er toch?’ vraagt mam. ‘Waarom ga je niet buiten voetballen? Ik zag dat Marnix en de andere jongens ook aan het spelen zijn.’

‘Niet waar!’ zegt Thijs fel. Hij werpt een blik uit het raam. ‘Marnix is allang gestopt.’

Wat doet hij nou raar, denkt mam. Zo gespannen en zenuwachtig.

Ze pakt de foto en geeft hem aan Thijs.

‘Dit is Isa.’ Ze merkt dat ze haar adem inhoudt, haar blik op Thijs richt. Ze ziet zijn ogen vluchtig over de foto glijden.

‘Nou en?’ vraagt hij. ‘Wat is daarmee?’

‘Isa’s vader is een paar weken geleden overleden,’ vertelt mam.

‘Rot voor haar.’ Thijs kijkt nog eens naar de foto.

Mam knikt.

‘En ook voor Isa’s moeder,’ zegt mam. ‘Van verdriet is ze in de war geraakt. Zelfs zo erg dat ze niet meer voor Isa kan zorgen. Ze is opgenomen in het ziekenhuis en moet er voorlopig blijven.’

‘Echt rot voor haar,’ zegt Thijs. Zijn ogen dwalen langzaam over de foto.

‘Isa is tijdelijk bij een vriendinnetje ondergebracht. Maar daar kan ze niet blijven. Ze hebben te weinig plek.’

Thijs kijkt zijn moeder achterdochtig aan.

‘Dan gaat ze toch naar haar oma of een tante.’

‘Dat is het nou juist,’ zegt mam. ‘Isa heeft maar weinig familie en die wonen nog ver weg ook. Dan zou ze naar een andere stad moeten verhuizen. Dan moet ze van school veranderen en raakt ze ook nog haar vriendinnen kwijt. Dat zou jij toch ook niet willen?'

Mam kijkt Thijs vragend aan, maar hij zwijgt.

'Pap en ik hebben het er uitvoerig over gehad. En we zijn het met elkaar eens. We willen Isa een plekje bij ons thuis aanbieden. We willen vragen of ze bij ons komt wonen.'

'Wát?' Thijs springt op. Mam ziet zijn ogen groot worden van afschuw. 'Die griet bij ons in huis? Als je het maar laat!' De deur slaat achter hem dicht.

Nou ja, zeg … denkt mam. Hoe kan hij nou zo reageren? Zo ken ik Thijs niet. Hij komt zelfs met slakken thuis omdat ze anders doodgereden worden. En nu dit …

Lang staart ze naar Isa's gezicht.

Ik snap het niet … Heb ik het verkeerd verteld?

Ze schenkt zichzelf nog eens thee in. Onaangeroerd blijft het kopje op tafel staan.

Dat moet het wel zijn, denkt ze als er al een blauwig vlies op het koude oppervlak drijft. Thijs is gewoon geschrokken. Het is voor het eerst dat hij ons met een ander kind moet gaan delen. Hij heeft al die jaren het rijk alleen gehad ... Ik ben gewoon te hard van stapel gelopen. Ik had het voorzichtiger moeten vertellen. Toch zal hij aan het idee moeten wennen. Want Isa, jij bent welkom bij ons.

3 Meiden zijn het ergst

Thijs rent de trap op, met twee, drie treden tegelijk.

Nee! denkt hij, nee! Niet dit! Niet een meid in mijn huis! Hij trapt de deur achter zich dicht en gooit zich op bed.

Meiden zijn het ergst! Ze doen vriendelijk tegen je, maar achter je rug hoor je ze lachen. Net als Lieke. Vorige week schreef ze op de msn nog leuke berichtjes naar me. Maar op school kijkt ze me niet eens aan. Alsof ze al die kruisjes nooit gezet heeft.

Kwaad slaat hij op het matras.

En maar smoezen met de andere meiden over wat ik haar geantwoord heb. Blah, blah, blah. Meiden, bah, daar kun je maar beter niks mee te maken hebben.

Thijs komt overeind en trekt de onderste punaises uit een poster die boven zijn bed hangt.

'Opzouten, Huntelaar!' gromt hij tegen de voetballer. Het papier krult naar boven op. Het stuk behang dat tevoorschijn komt, staat vol verwensingen.

SHIT!!!!!!

kalkt hij dik en zwart dwars over alle andere woorden heen. Zijn hand klemt zich zo vast om de stift dat zijn knokkels er wit van zien.

SUPERSHIT!!!!!!

Hoe groot en lelijk hij de letters ook maakt, het helpt niets. Hij voelt zich nog net zo rot als voor die tijd.

Wat als die meid me gaat pesten? In mijn eigen huis? Dan kan ik helemaal geen kant meer op! Een computer kun je uitzetten, maar een meid niet …

De angst grijpt Thijs als een hand bij zijn keel. Niets, maar dan ook niets kan hij doen om dit tegen te houden. Pap en mam zijn vastbesloten. Dat heeft mama zelf gezegd.

Misschien moet ik eerlijk zeggen wat er aan de hand is. Zeggen dat ik bang ben om door haar gepest te worden … Maar de gedachte voelt zinloos.

Pap en mam wuiven zijn bezwaren toch weg. Dat weet hij nu al. 'Pesten?' vragen ze dan verbaasd. 'Waarom zou ze jou nou pesten? Je bent toch een aardig joch? Je barst van de vrienden.'

Niet dus! denkt Thijs. Een machteloze woede verspreidt zich als een tsunami door zijn lijf.

'Supershit!'

Het geluid wordt gesmoord door het kussen dat hij over zijn hoofd getrokken heeft.

'Thijs?' klinkt het vaag van beneden. 'Thij-ijs!'

Thijs schuift het kussen opzij. Hij herkent zijn moeders voetstappen op de trap en schrikt. Haastig prikt hij de poster weer vast aan de muur.

'Ik wil nog even met je praten,' zegt mam met haar hoofd om de deur.

'Waarom?'

'Dat weet je best.' Mams stem klinkt zacht. Ze gaat naast hem op bed zitten en legt haar hand op zijn arm. Stil blijft ze zo zitten.

'Sorry dat ik je heb laten schrikken,' begint ze na een poos. 'Ik had niet zo met de deur in huis moeten vallen … Ik snap best dat je het moeilijk vindt dat er een meisje bij ons in huis komt. Altijd heb je alle aandacht voor jezelf gehad. En als dat opeens anders wordt, valt dat niet mee. Dat begrijp ik goed.'

Wat krijgen we nou? Denkt ze dat ik daarom boos ben? Wat een onzin. Daar gaat het helemaal niet om!

'Maar je kunt toch ook aan dat meisje denken?' gaat mam verder. 'Het is toch fijn als we haar kunnen helpen. Zulke dingen moet je ook leren. Het draait in het leven niet alleen om jou.'

Thijs voelt zijn moeders ogen over zijn gezicht dwalen.

Ze moest eens weten, denkt hij. Ze moest eens weten hoe erg ik de laatste tijd gepest wordt.

Hij wendt zijn gezicht af naar de muur.

Het komt door Marnix, denkt hij. Dat joch zet iedereen tegen mij op. Alle kinderen uit de klas, uit de buurt, van het voetbal, en straks ook die Isa.

'Ook al komt Isa nu bij ons in huis wonen,' praat mam verder, 'pap en ik houden net zoveel van je als altijd.' Mam buigt zich over hem heen. Hij voelt haar warme lippen op zijn wang. 'Dat weet je toch, Thijs?'

Hij voelt de tranen achter zijn ogen branden.

Zal ik het mam vertellen? Hoe eenzaam en bang ik ben ... Hij opent zijn mond, maar aarzelt. En wat als ze dan naar het hoofd van de school wil gaan? Want zo is ze, dat weet ik. Of nog erger, naar de voetbaltrainer?

'Ik weet dat jullie veel van mij houden,' zegt hij terwijl hij tegen haar aankruipt.

'En dat blijft zo, ook als Isa komt,' zegt mam met nadruk. 'Zul je dat nooit vergeten?'

Thijs schudt zijn hoofd en mam geeft hem nog een stevige knuffel.

Dan staat ze op.

'Zou je je niet eens omkleden?' vraagt ze terwijl ze een trui van de grond raapt. 'Als je niet opschiet, ben je te laat voor de training.'

'Ik ga niet,' zegt Thijs terwijl hij zich weer opkrult op zijn bed. 'Ik voel me niet lekker.'

Even is het stil. Hij voelt dat mam hem onderzoekend aankijkt. Ze voelt aan zijn voorhoofd.

'En de selectie dan?' vraagt ze. 'Daar wil je toch graag bij? Dan moet je je best doen! Ik zou maar gaan, anders ben je je plek aan Marnix kwijt.'

Alleen al bij het horen van de naam Marnix trekken zijn darmen zich samen.

'Ik ben niet lekker, zeg ik toch! Ik heb pijn in mijn buik en voel me raar, zo duizelig.'

'Ach, dat heb ik ook wel eens,' zegt mam luchtig. Ze pakt hem bij zijn hand en trekt hem van het bed. 'Kom op, doe je trainingspak aan en rennen!'

4 Thijs schiet geen bal raak

De noppen van Thijs' voetbalschoenen tikken op de tegels als hij over het tuinpaadje naar zijn fiets toe loopt. Nog even steekt hij slapjes zijn hand op naar mam. Dan sloft hij met zijn fiets het hek uit. Aan de rand van de stoep kijkt hij de straat langs.

Mooi, niemand te zien! Hij rijdt langs het speelveld. Alleen wat kleintjes rennen naar een klimrek.

Waar zal ik naartoe gaan? denkt hij op de kruising. Naar links dan maar? Gewoon een eindje rondfietsen. In ieder geval uit de buurt blijven van het voetbalveld.

Thijs rijdt door de straten, langs de bibliotheek en achter het winkelcentrum langs.

'Hé, Thijs!' wordt er geroepen.

Van schrik krimpt hij in elkaar. Vanonder zijn blonde haar gluurt hij om zich heen, en hij ziet Sander, die naar hem zwaait. Aarzelend zwaait hij terug.

'Ga je voetballen?' roept Marloes even later naar hem. 'Moet je dan niet de andere kant op?' Ze lacht, maar het klinkt niet gemeen.

Thijs lacht ook en begint wat harder te fietsen.

Wat zijn ze aardig! Valt het dan toch mee met dat gepest? Als vanzelf stuurt hij richting voetbalveld.

Misschien ben ik nog op tijd voor de training ook!

Hij gaat op de pedalen staan en sjeest langs de Parklaan.

En Marnix? denkt hij als hij bij het voetbalveld zijn fiets tegen het hek gooit. Weifelend blijft hij staan. Marnix kan me niks maken! Niet zolang de trainer in de buurt is.

Hij bergt zijn fietssleutel op in zijn zak en rent langs een heg naar de velden. Al van een afstand ziet hij zijn teamgenoten om de trainer heen staan.

Ja hoor, Marnix staat met zijn dikke kop weer vooraan!
De trainer draait zich om in de richting van het doel en wijst. Achter zijn rug geeft Marnix Aswin een duw. Hij botst hard tegen de trainer aan.
De moed zinkt Thijs in de schoenen.
Ik kan maar beter omdraaien, denkt hij terwijl hij vaart inhoudt. Zodra ik het veld op kom, moet hij mij hebben.
De trainer kijkt zijn kant op en wenkt.
'Schiet eens op, Thijs!' dreunt zijn stem over het veld.
Shoot! Thijs slikt. Nu kan ik niet meer weg. Op een sukkeldrafje gaat hij naar de groep toe.
'De volgende keer ben je op tijd,' zegt de trainer, 'anders mag je strafrondjes lopen.'
Thijs hoort Marnix grinniken.
'Pak allemaal een bal,' zegt de trainer, 'en dribbel een rondje om het veld. Bal goed bij je houden en zowel je linker- als je rechtervoet gebruiken. Daar gaat-ie!' Hij blaast op zijn fluitje en de jongens stuiven uit elkaar.
Ik blijf achteraan hangen, denkt Thijs, ver van Marnix vandaan. Hij rommelt wat in de zak van zijn trainingsjas.
'Wat sta je nou te doen?' bast de trainer. 'Weet je soms niet welke kant je op moet?'
'Jawel,' zegt Thijs. 'Ik kijk alleen even waar mijn fietssleutel is.'
De trainer trekt zijn wenkbrauwen op.
'Wil je alweer naar huis?'
Als dat zou kunnen, denkt Thijs. Hij kijkt naar de grond en zegt niets.
'Als jij zo graag in de D1 wilt, moet je wat meer je best gaan doen,' zegt de trainer. 'Met alleen een paar doelpunten op zaterdag kom je er niet. Dus, hollen! Laat zien wat je kunt!'
Met de bal aan zijn voet rent Thijs weg. Bal een klein tikje met

rechts, overnemen met links. Bal inhouden, schijnbeweging, en weer naar rechts.

Al rennend en zich concentrerend op de techniek gaat Thijs zich steeds lekkerder voelen. Marnix en zijn pesterijen wapperen uit zijn hoofd als papiersnippers in de wind.

Bal tikje naar voren, versnellen, meenemen met links, doorschuiven naar rechts.

Voordat hij er erg in heeft, is hij samen met de andere jongens weer terug bij de trainer.

'We maken tweetallen,' zegt de trainer. 'Samen loop je een rondje om het veld. De een op de zijlijn, de ander een paar meter naar binnen.' Terwijl de trainer het uitlegt, ziet Thijs Marnix zijn kant op schuifelen.

O nee!

'De man op de zijlijn dribbelt een paar passen met de bal,' klinkt de stem van de trainer. 'Dan plaatst hij hem schuin voor de ander. Let op! Geen snoeiharde joekel, maar een bal mooi op maat.'

Thijs luistert allang niet meer. Al zijn aandacht is gericht op Marnix, die langzaam zijn kant op komt.

Wegwezen! denkt hij. Zo onopvallend mogelijk begint ook hij zich zijwaarts te verplaatsen. Stapje voor stapje schuifelt hij achter Aswin langs.

'Heeft iedereen het begrepen?' vraagt de trainer. 'Oké, jongens, daar gaat-ie.'

De groep wijkt uiteen en Thijs ziet Marnix recht op zich afkomen.

'Jij gaat met mij,' zegt hij.

'Goed hoor,' zegt Thijs zo koel mogelijk. Zijn hart slaat wel drie tellen over.

Help! Wat is hij met me van plan?

Voor het oog van de trainer geeft Marnix Thijs een keurig

balletje voor. Zenuwachtig schuift Thijs de bal terug. Hij gaat niet zo mooi als hij gehoopt had.

'Hé, niet zo hard!' schreeuwt Marnix. Hij maakt een hoop misbaar en doet geen enkele moeite om de bal tegen te houden.

De trainer kijkt op en ziet hoe de bal in de bosjes verdwijnt. Mopperend sloft Marnix erachteraan.

'Waar is dat ding dan?' schreeuwt hij terwijl hij wat met zijn voet tegen het onkruid schopt. Het duurt eindeloos lang voordat hij hem gevonden heeft. De andere jongens zijn al bijna het veld rond.

'Nou niet weer zo hard!' roept hij naar Thijs. 'De volgende keer ga je hem zelf maar halen.'

Marnix wacht totdat de trainer de andere kant op kijkt en schopt dan de bal keihard voor Thijs uit.

'Luie sukkel! Je kunt je been toch wel uitsteken!' schreeuwt Marnix. 'Kom op, loop eens wat harder!'

Thijs ziet de trainer weer zijn kant opkijken. Zo hard als hij kan, rent hij achter de bal aan.

Wat gemeen van Marnix! denkt hij. Wat een vuile rotstreek!

Eindelijk zijn ze terug bij de groep. De trainer is al begonnen met het uitleggen van een nieuwe oefening.

'Ik wil met Thijs!' zegt Marnix meteen. Hij slaat zijn arm strak als een berenklem om Thijs' schouder.

'Jij schopt de hele training geen bal raak,' hoort Thijs zacht in zijn oor. 'Daar zorg ik wel voor! Had je maar niet moeten komen; ik heb je nog gewaarschuwd.'

'Lekker gewerkt, jongens,' zegt de trainer na een uur. Hij legt zijn hand even op Marnix' schouder. 'Thijs, jou wil ik nog even spreken.'

Terwijl de andere jongens van het veld lopen, blijft Thijs achter bij de trainer.

'Thijs, ik snap het niet,' begint hij. 'Het hele seizoen heb je fanatiek meegedaan. Je hebt geen training gemist. Nooit was je te laat. Je speelde de ene goede wedstrijd na de andere. En nu kun je in de selectie komen en dan is het opeens over.' De ogen van de trainer zoeken die van Thijs.

'Wat is er aan de hand, Thijs? Waarom lukt het niet meer? Is de druk om te presteren te groot? Of is er thuis iets aan de hand?'

'Nee hoor,' zegt Thijs, 'niets aan de hand.' Hij doet zijn best om vrolijk te kijken.

Het is Marnix, dreunt het in zijn hoofd. Die rottige Marnix.

'Als je zo doorgaat, komt een ander in de D1 en niet jij. Is dat wat je wilt?'

Thijs voelt de tranen achter zijn ogen branden. Hard bijt hij op zijn lip.

'Het komt door …' begint Thijs.

Stil! Hou je mond! waarschuwt een stem in zijn hoofd. Het helpt toch niet als je het vertelt. Marnix zegt gewoon dat het niet waar is. En morgen zit je met de gebakken peren. Want Marnix zal wraak nemen. In de klas, op het schoolplein, op weg naar huis ...

'Ik ben niet zo lekker,' zegt Thijs snel, 'de hele dag al. Maar ik moest van mijn moeder toch naar training. Het komt door haar.'

De trainer kijkt hem lang aan.

Thijs heeft het gevoel dat de trainer hem niet gelooft. Beschaamd slaat hij zijn ogen neer.

'Volgende keer doe je beter je best, afgesproken?' De trainer geeft Thijs een vriendschappelijke por.

'Oké,' zegt Thijs. Hij doet zijn best om te lachen.

'Ga je mee limonade drinken? De anderen zijn al in het clubhuis.'

Thijs schudt snel zijn hoofd.

'Nee, dank u, ik heb nogal pijn in mijn buik. Ik ga liever meteen naar huis.'

5 Welkom, Isa

'Hier is de kamer van Thijs,' zegt de moeder van Thijs een paar dagen later tegen Isa. 'Ik denk dat hij hem liever zelf laat zien.' Ze loopt door naar de volgende deur.

'En dit is jouw kamer.'

Isa kijkt een grote, lichte slaapkamer in.

'Leuk,' zegt ze zacht, na een snelle blik op het lege bureau en het in tule gehulde bed. Ze doet een stap naar achteren alsof ze het liever niet wil zien.

Ach, arme Isa, denkt mam.Wat voelt ze zich ongemakkelijk ...

'Ik heb die klamboe gisteren gekocht,' zegt mam. 'Ik twijfelde tussen roze en geel. Maar ik was bang dat roze te kinderachtig is, dus heb ik geel genomen. Ik hoop dat je hem mooi vindt.'

'Ja hoor,' zegt Isa mat.

'Als je hem dichtschuift, is het net of je in een tent zit,' gaat mam verder. 'Alsof je je eigen huisje hebt.'

Isa knikt flauwtjes en draait zich om naar de gang.

Ach, dat kind ... Ik had dat niet moeten zeggen. Nu denkt ze misschien dat ze altijd op haar eigen kamer moet zitten ...

Mam legt snel haar arm om Isa's schouder en trekt haar naar zich toe.

'We zijn blij dat je bij ons bent, Isa. Ik hoop dat je je gauw thuis voelt.'

'Wanneer komt Thijs?' vraagt Isa.

'Thijs?' Mam kijkt even op haar horloge. 'Vijf over vier ... wat raar ... ik had hem eigenlijk al verwacht. Hij zal zo wel komen. Zullen we alvast thee zetten?'

De moeder van Thijs loopt naar de keuken en zet water op.

Thijs zal toch niet expres zo lang wegblijven? denkt ze, terwijl ze de theepot uitspoelt. Het zal toch niet zijn omdat hij geen zin heeft om Isa te begroeten? Ze voelt dat ze boos wordt. Als dat zo is … bah, wat zou ik dat flauw vinden!

Ze opent een houten kistje vol theezakjes en zoekt een smaakje uit. Appel, denkt ze, dat vinden de meeste kinderen lekker.

Buiten piept het tuinhekje. Thijs komt aanlopen en gooit zijn fiets tegen de schuur.

'Wat nou weer?' zucht mam. 'Wat is er toch met die jongen? Nu heeft hij alweer de bokkenpruik op!' Ze giet het kokende water in de theepot en hangt het zakje erin. Buiten smijt Thijs zijn rugzak tegen de grond.

Mam loopt naar hem toe.

'Ha, Thijs!' zegt ze, haar boosheid verbergend. 'Wat ben je laat!'

'Die pokkeband is weer eens lek!' Hij trapt tegen zijn achterwiel.

'Niet van die lelijke taal,' waarschuwt mam. 'Dat is nergens voor nodig. En dat schoppen al helemaal niet. Iedereen heeft wel eens een lekke band.'

'O ja?' Thijs kijkt zijn moeder woedend aan. 'Hoe vaak gebeurt het bij jou? Nooit! En is jouw ventiel wel eens gejat? Nou? Niet dus!' Weer trapt hij tegen zijn fiets.

'Zo is het wel genoeg!' Mam pakt hem bij zijn arm. 'Kom, we gaan naar binnen. Dan kun je kennismaken met Isa.' Ze trekt een vrolijk gezicht en zwaait naar Isa, die stilletjes voor het raam staat. Terwijl mam de keuken in stapt, buigt ze zich naar Thijs.

'Isa voelt zich nog niet erg op haar gemak,' zegt ze zacht, 'dus je doet wel een beetje aardig tegen haar!'

6 Wat kun jij goed liegen!

Wat een stom gedoe! denkt Thijs, terwijl hij door de keuken naar de kamer loopt. Nou moet ik die griet ook nog begroeten! Laat me toch met rust!

'Hoi,' zegt hij van een afstand. Het klinkt alsof hij het tegen een zak met aardappels heeft.

'Dit is nou Isa,' zegt mam vlug.

Thijs voelt zijn moeders hand in zijn rug. Ze duwt hem verder de woonkamer in, naar de bank toe waar Isa zit.

Alsof ik een kleuter ben die voor het eerst naar school moet! denkt hij boos. Hij probeert zijn moeders hand van zich af te schudden.

'Hoi,' zegt Thijs weer. Met zijn armen achter zijn rug kijkt hij naar Isa. Ze is groter dan hij. Mooi haar, denkt hij alleen maar. Lang en donker.

'Hoi,' zegt Isa zacht.

'Thijs had een lekke band,' legt mam uit. 'Daarom is hij zo laat.'

'Balen, zeg! Moest je lopen?' vraagt Isa.

'Ja,' liegt Thijs. Zijn moeder kan maar beter niet weten dat hij op die platte band naar huis gereden is.

'Is het ver?' vraagt Isa.

'Wat?' vraagt Thijs, met zijn gedachten nog bij zijn band.

'Je school, natuurlijk,' zegt Isa. Haar wenkbrauwen maken verbaasde boogjes.

'O, eh, tien minuten fietsen.'

'Tien minuten? En moest je dat hele eind lopen? Nou, ik was mooi gaan fietsen! Die band is toch al lek.'

Thijs kijkt haar verrast aan.

'Dan gaat-ie nog verder kapot,' zegt hij maar.

'En dat zou zonde zijn,' vult mam aan.

Isa's ogen glijden over Thijs' gezicht. Haar mondhoeken krullen een beetje op.

Sukkel! denkt Thijs boos op zichzelf. Waarom zeg je nou weer zoiets stoms! Kijk eens, nou lacht ze je al uit. Ze denkt natuurlijk dat ik een mafkees en een braaf ventje ben. Hij krijgt het er warm van.

'Wil je ook thee?' vraagt mam.

'Lekker,' antwoordt hij weinig enthousiast.

Mam loopt naar de keuken.

Zodra ze de deur uit is, begint Isa te grinniken.

'Wat kun jij goed liegen, zeg!' fluistert ze lachend. 'Als je er met de fiets al tien minuten over doet, kun je lopend toch nooit zo snel thuis zijn!'

Thijs voelt zijn wangen rood worden.

'Anders gaat ze zeuren,' zegt hij met een knik in de richting van de keuken. 'Dan krijg ik dat geleuter dat het geld haar niet op de rug groeit. En dat ik zelf maar een nieuwe band moet kopen.'

'Ha! Dat zou mijn moeder precies zo zeggen!' lacht Isa. Thijs kijkt naar de kuiltjes in Isa's wang. Wat leuk. Die krijgt ze als ze lacht. Zomaar opeens voelt hij zich vrolijker dan hij zich in lange tijd gevoeld heeft.

'Hij is niet eens echt lek,' hoort hij zichzelf zeggen. 'Een of andere lolbroek heeft het ventiel eruit getrokken.'

'Echt?' Isa kijkt hem met grote ogen aan. 'Lekker balen, zeg!'

'Ach,' zegt Thijs. Hij haalt zijn schouders op. 'Ik ben wel wat gewend.'

'Ik zie dat jullie het goed kunnen vinden,' zegt mam als ze weer de kamer in komt.

Thijs draait met zijn ogen.

Heb je mam weer met haar opmerkingen! Was het maar waar wat ze zegt ... Maar ik geloof er niets van. Nu doet Isa nog aardig tegen me. Straks, als ze me wat beter kent, gaat dat over. Dan vindt ze me een sukkel. Net als alle andere kinderen.

'Ik hoef eigenlijk geen thee,' zegt hij, terwijl hij zijn kopje van zich af duwt. 'Ik ga naar boven.'

'Naar boven?' Mams gezicht trekt strak. 'Moet dat nou? Kun je Isa niet eerst de buurt laten zien? Als ze wil, kan ze dan buiten gaan spelen.'

O, nee! Thijs voelt het bloed naar zijn benen zakken. Niet naar buiten! Nee! Dat wil ik niet!

Hij voelt Isa's ogen op zijn gezicht rusten.

'Ik blijf liever binnen, mevrouw Van der Molen,' hoort hij haar zeggen. 'Ik wil mijn kamer in orde maken. Mijn spulletjes uitpakken en mijn kleding in de kast leggen.'

'Tuurlijk mag dat, lieverd,' zegt moeder. 'En noem me maar tante Eva. Oké? Dat klinkt gezelliger.'

Thijs staat op. Op weg naar de deur veegt hij zijn klamme handen af aan zijn broek.

'Ik heb ook een paar posters bij me,' zegt Isa. 'Mag ik die aan de muur hangen?'

'Ja hoor. Thijs heeft wel punaises voor je. Toch, Thijs?'

'Ik zet ze wel op de overloop,' roept Thijs vanuit de gang. Hij rent naar boven. Nog voordat hij de deur naar zijn kamer dichtdoet, hoort hij Isa's voetstappen al op de trap.

7 Een lege kamer

Isa staat op de overloop boven aan de trap en kijkt naar de gesloten deur van Thijs' kamer. Met een knal heeft hij die voor haar neus dichtgegooid.

Lekker gezellig, zeg! Wat doet dat joch nou raar! Wil hij niet dat ik hier kom wonen?

Met tegenzin doet ze de deur ernaast open. Vanaf de drempel kijkt ze haar nieuwe slaapkamer in. Het bed, het gele zeil, het lichte hout van de kast, alles komt haar even onbekend voor. Niets, maar dan ook niets lijkt op haar eigen kamer thuis.

Wat moet ik hier? denkt ze. Zelfs de geur is anders dan thuis.

Ze gaat voor het raam staan en luistert naar het zachte ruisen van de bladeren.

Vreemd, zo stil. Nergens het geknetter van optrekkende brommertjes of het gegil van een sirene.

Ze pakt haar telefoontje en stuurt een sms naar haar vriendin.

Super saai en stil hier! Bale!!!!

Maar wacht, nu hoort ze toch iets …

Ze doet het raam open en buigt zich naar buiten. Tussen de bomen door ziet ze een grasveldje. Een groep kinderen is er aan het voetballen. Ze schreeuwen en joelen. Een groot joch is duidelijk de baas. Hij duwt de anderen opzij, snauwt ze af en eist de bal op.

Etterbakken heb je overal, denkt Isa.

Ze draait zich van het raam af en loopt naar haar koffer. Hij staat op een kleedje voor het bed, samen met een verhuisdoos. Ze knielt en ritst de koffer open. Aarzelend, met tegenzin, begint ze haar kleding eruit te halen. In stapels legt ze de shirts en broeken op het bed. Fotolijstjes komen tussen de truien tevoorschijn.

'Gelukkig,' mompelt ze, 'het glas is nog heel.' Ze strijkt met haar vingertoppen over een foto van haar vader. Hij staat op straat voor hun huis, zijn arm over de schouder van mam geslagen. Met zijn andere hand houdt hij zijn racefiets bij het stuur vast. Ongeduldig kijkt hij in de camera.

Was je die dag maar thuisgebleven, pap, denkt Isa. Dan was het niet gebeurd … dan was alles nog normaal geweest …

Leeg staart ze voor zich uit. Als vanuit een andere wereld dringt het geschreeuw van de voetballende kinderen de kamer binnen.

Een wereld waar ik niet bij hoor, denkt Isa.

Voorzichtig zet ze de foto op een kastje naast haar bed. Uit de verhuisdoos haalt ze een zwarte beer met slijtplekken in zijn vale vacht.

'Kom gauw hier, oud knufje.' Isa drukt hem teder tegen zich aan.

Ze sluit haar ogen en is weer bij het moment dat ze hem van haar vader kreeg. Papa kwam terug van een werkreis naar Canada. 'Ik ging ernaartoe om boeven te vangen,' zei hij met een ernstig gezicht. 'En kijk eens waarmee ik terugkom?' Lachend had hij haar op zijn arm genomen en haar de beer gegeven.

Isa vecht tegen de tranen die in haar ooghoeken opwellen.

Nee! Niet huilen! Dat wil ik niet! Ik schiet er niets mee op. Ze ademt diep door en laat haar ogen doelloos door de kamer dwalen.

Ik moet niet klagen, denkt ze. Mama heeft lang niet zo'n mooie kamer als ik. En ze mag ook niet naar buiten. Dag in, dag uit zit ze op die gesloten afdeling. De dokter wil dat ze binnenblijft. Hij is bang dat er ongelukken gebeuren.

Isa rilt. Niet nog meer ongelukken!

Vlug staat ze op. Ophouden met denken! Met harde rukken trekt ze de verhuisdoos open. Haar boeken zet ze op een lege plank boven het lege bureau. Haar etui, agenda, haarspelden, make-upspullen, alles krijgt een plaats. Nu alleen nog de posters. Ze stroopt het elastiekje van de rol af. Als eerste houdt ze een grote foto van een dolfijn met een jong tegen de muur.

'Dit is een mooie plek,' mompelt ze. 'Even punaises halen bij Thijs.' De poster krult weer op tot een rol.

Op de gang ziet Isa het doosje met punaises staan. Vanuit de kamer van Thijs klinkt getik.

Hij is vast aan het chatten, denkt ze terwijl ze het doosje opraapt. Misschien wel met een meisje. Daarom wil hij niet dat ik binnenkom!

Op haar tenen sluipt ze naar zijn deur. Het tikken is gestopt.

'Stomme sukkel!' schreeuwt Thijs aan de andere kant. 'Stomme, achterlijke, stomme sukkel!'

Dan klinkt een dreun alsof hij met zijn vuist op het toetsenbord slaat. Isa doet een snelle stap naar achteren.

Wat is er met Thijs? Zijn stem klinkt zo raar! Woedend en bang tegelijk. Zal ik aankloppen? Weifelend staart ze naar het gladde hout. Aan de andere kant is het nu stil.

'Thijs?' roept ze voorzichtig. 'Thijs, wil je me even helpen met mijn poster? Het lukt niet, dat ding rolt steeds weer op.'

'Nee!' brult Thijs. 'Vraag maar aan mijn moeder. Zij wil zo graag dat je bij ons in huis komt. Laat zij je maar helpen!'

Isa staat als aan de grond genageld. De tranen springen in haar ogen, maar nee, huilen wil ze niet! Hard bijt ze op haar lip.

Wat denkt dat joch wel niet! Dat ze hier voor haar lol is? Haar hart begint te bonken, woede stijgt op naar haar hoofd. Met een knal smijt ze de deur open. 'Ellendig rotjoch!' schreeuwt ze. 'Denk je soms dat jij de enige bent met problemen?'

kloppen

8 Vrienden

Geschrokken staat Thijs op van achter zijn computer.

'Sorry, het spijt me,' zegt hij, als hij naar de deur loopt. Beschaamd kijkt hij naar Isa. Ze staat met haar rug naar hem toe. Haar schouders schokken op en neer.

'Sorry dat ik zo rot deed,' zegt hij weer. Hij wil zijn arm om haar heen leggen, haar troosten, maar durft niet. Slap valt zijn arm langs zijn lichaam. 'Zo bedoelde ik het niet. Natuurlijk wil ik helpen met je poster.'

Isa haalt haar neus op. Met haar mouw veegt ze langs haar wang.

'Het is niet alleen die poster,' zegt ze zacht. 'Mijn kamer is zo akelig leeg. Zo helemaal niet van mij. Mag ik even bij jou komen zitten?'

'Tuurlijk,' zegt Thijs met tegenzin. Shoot! Nou zit hij met die meid opgescheept. Ze gaat natuurlijk in zijn spullen snuffelen. Wedden dat ze iets vindt om hem uit te lachen. Hij stapt opzij en Isa loopt naar binnen.

'Leuke kamer,' zegt ze, terwijl ze nieuwsgierig rondkijkt. Ze loopt langs zijn bed, kijkt naar zijn posters.

'Leuk die olifantjes!' Ze wijst naar de houten beeldjes in de vensterbank. 'Zoiets zou ik ook wel willen hebben.'

'Gekregen van mijn tante uit Afrika,' zegt Thijs. Hij neemt haar argwanend op. Meent ze dat nou?

Isa staat nu vlak bij zijn computer en kijkt naar het scherm.

Thijs schrikt zich rot, want op het scherm is te lezen:

☹☹☹ Slachter Mnix zegt:

☹☹Ben je al thuis, sukkel??☹☹ Heb je lekker

gelope???☺☺☺ Hahaha!☺☹☹

☹☹☹ Slachter Mnix zegt:

☹☹ Morge doe ik het wr! ☺☺ Hahaha! Goed voor je conditie! Hahahaha! ☺☹☹

☹☹☹ Slachter Mnix zegt:

☹☹☹Dan kan je wat harder 8-er die verre balle aan renne. Hahahahaha!☺☺☹☹

Thijs zet snel het scherm uit. Dit hoeft Isa niet te weten.
‘Mag ik ook even chatten?’ vraagt ze. ‘Mijn vriendinnen zijn vast wel online.’
‘Ik moet verder met mijn werkstuk,’ liegt Thijs. ‘Je mag wel op de computer van mijn ouders.’
‘Oké,’ zegt Isa zacht. ‘Dan ga ik maar weer.’ Ze loopt naar de deur maar blijft halverwege staan. ‘Ik zou het niet leuk vinden om sukkel genoemd te worden,’ zegt ze. ‘En jij?’
Thijs schrikt. Isa kijkt hem recht aan.
‘Gaat wel,’ zegt hij.
‘Die Slachter Mnix heeft zeker jouw band leeg laten lopen? Ik hoorde je schreeuwen. Was je daarom zo kwaad?’
Thijs haalt zijn schouders op en kijkt de andere kant op. Als Isa maar niet denkt dat hij een loser is.
‘Is hij een vriend van je?’
‘Marnix? Nee, echt niet! Hij zit bij me in de klas. En we zitten met voetbal in hetzelfde elftal.’
‘Pff,’ blaast Isa. ‘Daar ben je lekker mee. Volgens mij is het een vervelend joch.’
Thijs kijkt haar op zijn hoede aan. Waarom zegt ze dit? Probeert

ze mij uit de tent te lokken? Zodat ze morgen tegen iedereen kan zeggen dat ik Marnix vervelend vind?

'In mijn klas zitten ook een paar van die meiden,' vertelt Isa. 'Op school doen ze aardig tegen je, maar via de msn zeggen ze de gemeenste dingen. Het lijkt wel of ze dan meer durven.'

Thijs knikt.

'Stelletje sukkels zijn het,' zegt hij.

'Ik klik ze gewoon weg,' zegt Isa. 'En jij?'

Thijs aarzelt. Isa kijkt hem met haar bruine ogen ernstig aan. Ze lijkt geen pestkop. Zal hij het vertellen?

'Als ik dat doe, scheldt Marnix me in de klas uit voor lafbek. "Thijs, mietje, durf je niet eens te chatten?" schreeuwt hij dwars over het speelplein heen. Dan weet de hele school ervan. Hij zet iedereen tegen me op. De meiden beginnen me nu ook al uit te lachen.'

'Laat mij maar even,' zegt Isa. Ze gaat achter de computer zitten, zet het scherm weer aan en begint te typen.

☺ Superfan Huntelaar zegt:

☹☹☹ Marnix, 1/2 zool dat je bent! Nou ff dimmen of ik stuur mijn grote zussie op je af. Zij timmert je zo het illhuis in ☹☹☹

'Ben je gek!' Thijs duwt haar opzij. 'Niet versturen! Straks staat hij voor de deur!' Hij zet de computer uit zonder de programma's af te sluiten.

Zwijgend staren ze naar het zwarte scherm.

'Je moet niet bang zijn,' zegt Isa na een poos. 'Dat maakt het alleen maar erger. Zeg dat joch gewoon wat je ervan denkt. Wat kan er nou gebeuren?'

'Jij kent Marnix niet!' roept Thijs uit. 'Je hebt geen idee! Er kan van alles gebeuren!'

'Maar als het zo erg is, waarom zeg je het dan niet tegen je moeder?'

'Mijn moeder?' Thijs lacht schamper. 'Weet je wat zij dan doet? Dan gaat ze naar Marnix toe en zegt: "Foei! Jij mag mijn Thijs niet zo plagen. Dat is heel ondeugend!"'

Isa begint te lachen.

'O, vreselijk! Dat zou mijn moeder precies zo doen!'

Dan betrekt haar gezicht.

'Maar nu niet meer,' zegt ze. 'Nu kan mama niet eens voor zichzelf opkomen. Ik sta overal alleen voor.'

En dat is nog veel erger dan gepest worden, denkt Thijs terwijl hij naar Isa kijkt. Weer schaamt hij zich dat hij net zo rot tegen haar deed.

'Vrienden?' stelt hij voor. Hij houdt zijn hand opgestoken in de lucht.

Isa's gezicht ontspant.

'Yeah, bro!' zegt ze terwijl ze haar vlakke hand tegen de zijne slaat. 'Vrienden.'

9 Marnix

De volgende dag springt Isa na schooltijd meteen op haar fiets.
'Ik heb haast! Tot morgen!' roept ze naar haar vriendinnen, en ze zwaait nog even.
Ik heb precies tien minuten, denkt ze na een blik op haar horloge. Sjezen dus! Ze rijdt in een pittig tempo vanuit het centrum naar de buitenwijk waar de school van Thijs staat.
'Precies op tijd!' Een eindje buiten het hek trapt ze op de rem. Hijgend hangt ze over haar stuur en ze ziet de eerste kinderen uit de school naar buiten zwermen.
Te groot, te klein, is een meisje, haar te donker, scannen Isa's ogen.
Zoekend glijdt haar blik over de golf kinderen die uit de school komt stromen. Ze lopen in groepjes, soms gearmd, met hun hoofden dicht bij elkaar of alleen. Een enkel kind geeft op de drempel zijn tas een slinger. Luid schreeuwend rent het de vrijheid tegemoet. Binnen een paar tellen zit het boven in het klimrek of hangt ondersteboven aan een stang.
Weer anderen komen de school uit gesloft en hangen jengelend aan de arm van hun vader, moeder, oma, oppas of wie dan ook.
Opeens knijpt Isa haar ogen samen.
'Die ken ik,' mompelt ze als in de deuropening een grote jongen verschijnt. Dat joch was gisteren op het veldje aan het voetballen.
De jongen werkt zich lomp tussen de kleinere kinderen door en rent naar de fietsenstalling. Daar geeft hij een rugzak een zwiep. Met een plof belandt het ding boven op het dak van de stalling.
Isa houdt haar adem in.
Wat een rotgeintje, denkt ze. Wedden dat het niet zíjn tas is!
'Zag je dat?' schreeuwt het joch naar een ander. 'Nou heeft die

slome sukkel wat te zoeken!'

'Bruut!' De andere jongen doet zijn best om hard te lachen. Een stel meisjes kijkt van een afstand toe.

Het grote joch begint aan een fiets te trekken. De trapper haakt in het frame van een fiets ernaast.

'Pokkeding!' scheldt hij. Hardhandig rukt hij zijn fiets los. Met een aanloop springt hij op het zadel en rijdt op een groepje jongens af.

'Jullie komen wel voetballen, hoor!' schreeuwt hij. 'Tot zo!' Schel fluitend scheurt hij tussen de andere kinderen door het plein af.

Isa kijkt hem na. Wat een etterbak! denkt ze.

Ze zoekt weer naar Thijs. Waar blijft hij toch? De meeste kinderen zijn al weg. Heeft hij soms straf? Moet hij nablijven?

Eindelijk ziet ze hem naar buiten komen. Schichtig kijkt hij om zich heen en loopt dan snel naar zijn fiets.

Het lijkt wel of hij zich klein maakt, denkt Isa. Of hij wil dat niemand hem ziet. Ze rijdt naar het hek toe.

'Hoi!' roept ze en ze zwaait.

Thijs krimpt nog verder in elkaar. In plaats van naar haar te zwaaien, gluurt hij zenuwachtig om zich heen. Snel stapt hij op zijn fiets. Zonder iets te zeggen rijdt hij haar voorbij.

'Hé, Thijs!' roept Isa, eerder verbaasd dan boos.

Wat doet hij nou weer raar!

'Had je geen tas bij je?' roept ze hem na.

Thijs kijkt niet op of om. Hij slaat een hoek om en is weg.

Hè? Gaat hij naar links? Waarom dat nou? Isa draait een haarlok om haar vinger. Het is toch de andere kant op naar zijn, eh, ons huis. Ze staart naar de lege straat. Ze snapt er niets van. Waar gaat hij naartoe?

Ze denkt terug aan gistermiddag.

'Vrienden?' stelde Thijs toen voor. Onzeker had hij zijn hand opgehouden en haar aangekeken alsof hij er zelf niet in geloofde. Net of hij zich niet kon voorstellen dat er ook maar iemand bevriend met hem wilde zijn.

Isa staart dromerig voor zich uit. Een trage glimlach verschijnt op haar gezicht. Wat had Thijs opgelucht gelachen toen ze haar hand tegen de zijne sloeg!

We zijn vrienden, denkt Isa. Dat weet ik zeker! Maar waarom dan dit? Waarom wil hij me niet eens gedag zeggen? Waarom doet hij of hij mij niet kent?

Isa kijkt naar het schoolplein. Het ligt er verlaten bij, alle kinderen zijn naar huis. Ze zet haar fiets tegen het hek en loopt naar de fietsenstalling.

‘Hier is je tas,’ zegt Isa even later tegen Thijs. Ze had zijn fiets tegen de schuur zien staan en was meteen naar zijn kamer gelopen. Thijs staat met zijn handen in zijn zakken voor het raam. Zijn schouders hoog op getrokken, zijn hoofd gebogen.

Net een bang vogeltje, denkt Isa terwijl ze de rugzak op zijn bed legt.

Thijs draait zich half om. ‘Hoe, hoe kom jij daar nou aan?’ Hij durft haar maar nauwelijks aan te kijken.

‘Hij lag op het dak van de fietsenstalling. Ik zag hoe een groot joch hem erop gooide.’

‘Marnix,’ mompelt Thijs tegen zijn schoenen. ‘Had hij bruin haar?’

‘Kort en bruin, en hij leek wel een baviaan, zo stoer deed-ie.’

Wat ziet Thijs er raar uit, denkt ze. Van die dikke ogen, alsof hij gehuild heeft.

‘Hij spuugde zeker op de grond?’

‘Wel tien keer,’ zegt Isa op haar vrolijkst. ‘Lekker smerig, net een ouwe vent. Daarna stond die sufferd ook nog zijn eigen fiets in elkaar te rossen!’

'Doet-ie altijd. Zijn eigen fiets of die van een ander. Het maakt hem niks uit.'

Isa gaat naast Thijs voor het raam staan. Buiten is er niets te zien. 'Saaie boel,' zegt ze.

'Niks an,' zegt Thijs.

Zwijgend staan ze naast elkaar. Isa's vingers trommelen op de vensterbank.

'Rij je altijd met een omweg naar huis?' vraagt ze opeens.

Schuw haalt Thijs zijn schouders op.

'Heeft dat ook met die Marnix te maken? Ben je bang dat hij je ergens opwacht? Dat hij je in elkaar slaat?'

Thijs zegt niets, laat zijn hoofd nog verder zakken.

'Wilde je me daarom niet gedag zeggen?' vraagt Isa zacht.

'Omdat Marnix je dan met mij gaat pesten?'

Thijs draait zich met een ruk om en trapt hard tegen zijn bureaustoel. De stoel rolt met een vaart over de gladde vloer en knalt tegen een kast aan.

'Die rotzak!' schreeuwt Thijs. 'Kijk zelf maar op msn. Dan kun je zien hoe hij me bedreigt!'

10 Dit moet stoppen!

Thijs zit achter de computer en tikt zijn wachtwoord in. Naast zich voelt hij Isa. Haar arm tegen de zijne. Hij hoort hoe ze haar adem inhoudt terwijl ze het bericht meeleest dat op het scherm verschijnt.

☹☹☹ Slachter Mnix zegt:

☹☹☹ Hé Thijs, $tinking dombo! Heb je je tassie al gevonde? Hahaha!☹☹

☹☹☹ Slachter Mnix zegt:

☹☹ Haha! Morge zijn je sneakers aan de beurt!!!! Hahahaha☹☹☹

☹☹☹ Slachter Mnix zegt:

☹☹ Een stupid monkey als jij kan beter op blote poten lope!!!! Hahahahahahaha☹☹☹☹☹

☹☹☹ Slachter Mnix zegt:

☹☹☹ Daarna hang k je in een hoge boom☹☹☹ Kan je lekker banane vrete!!!!! Hahaha. Of stop je die liever in je 8-erste?????Hahahahaha☹☹☹

Thijs kijkt naar Isa. Bewegingloos staart ze naar het scherm. Haar wangen bleek, haar mond iets open.

'Wat een ongelooflijke etterbak!' hijgt ze. 'Dit moet stoppen! Wat een eikel!'

Thijs wrijft hard over zijn broekspijp. Het lijkt of hij iets weg wil poetsen, iets ongedaan wil maken. Hij hoort Isa praten, maar weet niet hoe hij antwoord moet geven. De woorden zitten als brokstukken klem in zijn keel.

Wat zou ik ook moeten zeggen? denkt hij. Dat het geen zin heeft om iets te ondernemen? Dat Marnix toch doorgaat? Net zo lang als hij er lol in heeft?

'We móéten wat doen!' Isa's handen slaan op het bureau. 'Dit móét stoppen! Straks durf je niet eens de deur meer uit.'

What's new? denkt Thijs. Dat durf ik nu al niet.

'Wat je ook doet, het maakt het alleen maar erger,' zegt hij mat.

'Erger?' vraagt Isa fel. 'Hoe dan? Dat kan niet eens!' Ze zet het scherm uit en draait zich naar Thijs toe. Haar ogen gloeien als kolen op de barbecue. 'Echt, Thijs! We moeten Marnix terugpakken! Hij moet zelf voelen hoe erg het is om gepest te worden. Dan houdt hij wel op!'

Thijs kijkt naar Isa. Ze gebaart krachtig met haar handen. Haar ogen, haar gezicht drukken vastberadenheid uit. Ze gelooft in haar idee!

'Nou, wat denk je ervan? Zeg eens wat!'

'Hoe wil je hem dan terugpakken?' Thijs krijgt er buikpijn van. 'Zodra hij ook maar iets merkt, komt hij achter mij aan, dat weet ik zeker!'

'We gebruiken mijn naam.' Isa's stem klinkt nu rustig, bedachtzaam. 'Marnix kent mij toch niet. Dat moeten we vooral zo houden. Hij mag niet weten dat ik hier woon. Op die manier zal hij nooit ontdekken dat wij erachter zitten.'

'Oké,' zegt Thijs. 'En dan?'

'Eerst moeten we te weten komen waarom hij jou zo pest. Wat wil hij ermee bereiken? Waarom jij?' Isa staat op en begint door de kamer te ijsberen. 'Dan gaan we op zoek naar zijn zwakke

GAME

plek. We gaan hem bespioneren. Op school, op straat, maar vooral bij hem thuis. Waar is hij bang voor? Waar is hij aan gehecht? Heeft hij rare gewoonten? Dat soort dingen willen we weten.'

Thijs kijkt haar verwonderd aan.

'Het lijkt wel of je van de politie bent,' zegt hij. 'Iemand uit CSI of zo.'

Isa glimlacht, maar haar ogen dwalen af naar de verte.

'Mijn vader was rechercheur,' zegt ze na een stilte. Haar stem klinkt vlak. 'Aan tafel vertelde hij soms spannende verhalen. Dan deden we motiefje raden. Bij dat spelletje moet je erachter zien te komen waarom een dader iets doet.'

'Cool,' zegt Thijs. Ongemakkelijk schuift hij over zijn stoel. Als Isa maar niet weer gaat huilen …

'Wanneer beginnen we met speuren?' vraagt hij om de spanning te doorbreken.

Isa tilt haar hoofd op.

'Zie je het toch zitten om Marnix terug te pakken? Bruut! We gaan meteen aan de slag. We zullen dat joch een poepie laten ruiken. Heb je pen en papier?'

Thijs ziet dat Isa's ogen weer beginnen te fonkelen.

Gelukkig maar! denkt hij, terwijl hij tussen een stapel schriften en boeken naar een schrijfblok zoekt.

'Alsjeblieft.' Hij legt het blok met een pen erop voor Isa neer.

'Kijk eens of Marnix nog online is?' vraagt Isa. Ze pakt de pen en roffelt ermee op het blok.

☹☹☹ Slachter Mnix zegt:

☹☹☹☹Thijssie, $tink saucijssie, wrom zeg je nix?☹☹☹

☹☹☹ Slachter Mnix zegt:

☹☹☹Bange sukkel! ☹☹☹ K ga nu balle met de boys. ☺ Stuntelaars hebbe we niet nodig!!!! Dus jou wil k niet zien!☹☹☹

Thijs grijpt zich vast aan zijn stoel. Zijn vingers lijken de leuning tot moes te knijpen.

Dat teringjoch! suist het door zijn hoofd. Die stupid ellendeling!

Het liefst wil hij het toetsenbord, het scherm, de hele handel van het bureau af rammen.

'Marnix zal ons ook niet zien,' hoort hij Isa in de verte kalm zeggen. 'Maar we zijn er wel. Wat die sukkel ook doet, waar hij ook heen gaat, wij houden hem in de gaten.'

Thijs laat de leuning los. Langzaam ontsnapt de lucht uit zijn mond. Hij draait zich naar Isa toe en voelt de spanning uit zijn spieren vloeien. Een gevoel van opwinding komt ervoor in de plaats.

Wat zegt ze dat rustig! Niet als een gewoon agentje maar meer als de president van Amerika. 'Wij houden hem in de gaten.' Wat gaat daar een dreiging van uit!

'Zullen we gaan?' vraagt Isa. Ze stopt de pen, het papier en haar telefoon in haar rugzak. 'Bij het veldje kunnen we Marnix bespioneren. Dan kunnen we er meteen over nadenken waarom hij juist jou moet hebben.'

'Wacht even,' zegt Thijs. Snel trekt hij een donker vest over zijn gestreepte shirt aan. Hij moet er niet aan denken dat Marnix hem tussen de bosjes ziet staan …

11 Waarom doet dat joch zo?

Isa en Thijs staan ingeklemd tussen de achterkant van een schuurtje en hoge struiken die er dicht tegenaan gegroeid zijn. Op een paar meter afstand, aan de andere kant van het dichte bladerdek, zijn Marnix en een stel jongens aan het voetballen.

'Ja, hallo sukkel! Ik sta hier, hoor!' schreeuwt Marnix.

Isa voelt Thijs naast zich ineenkrimpen.

'Je hebt je beltoon toch wel uitstaan?' fluistert hij zenuwachtig. Hij kruipt nog dieper weg tussen de struiken.

'Ja, rustig nou maar,' zegt Isa zacht. Ze drukt wat takken naar beneden. Door de ruimte tussen de bladeren kijkt ze naar het veldje. Af en toe flitsen een paar bezwete jongens door haar beeld.

'Pas nou op!' sist Thijs. 'Straks zien ze ons!'

Isa laat de takken los. Ritselend veren ze terug en het bladerdek sluit zich weer.

'Sukkel, schiet dan!' schreeuwt Marnix.

'Waarom is iedereen toch zo bang voor dat joch?' vraagt Isa, meer aan zichzelf dan aan Thijs. 'Waarom kan hij alle kinderen uitschelden en commanderen? Waarom doet niemand iets terug?' Terwijl ze nadenkt, speelt ze wat met haar lange oorbellen.

'Nou, wat denk je zelf?' hoort ze Thijs zacht zeggen. 'Als je niet doet wat hij zegt, begint hij met pesten.'

'Doe jij altijd wat hij zegt?'

'Ik? Nee, nooit! Ik ben toch niet gek! Ik ga echt niet doen wat dat stomme joch zegt!'

'En de andere kinderen?'

'Nou, je ziet het,' fluistert Thijs. 'Als Marnixje beveelt: "Kom voetballen!" Dan komen ze voetballen. En heus niet omdat ze het zo leuk vinden. Want zo lollig is dat niet met hem.'

‘Hmm,’ doet Isa. ‘Dus jij luistert niet naar hem? Zou hij je alleen daarom pesten? Omdat hij je onder controle wil krijgen?’

Thijs haalt zijn schouders op.

‘Weet ik het.’

Isa maakt haar rugzak open en pakt het schrijfblok.

MACHT, schrijft ze met grote letters.

Ze staart naar het woord. Haar pen tikt onrustig op het papier.

‘Hallo, sukkel!’ schreeuwt Marnix op het veldje. ‘Kijk eens uit je doppen!’

Waarom wil iemand macht? denkt Isa. Waarom wil de een uitmaken wat de ander moet doen?

‘We gaan een spelletje spelen,’ zegt ze.

Thijs spert zijn ogen.

‘Wát? Nu? Hier?’ fluistert hij. ‘En Marnix dan?’

‘Rustig maar. Hij zal het niet merken. We doen heel zacht. Het is hetzelfde spelletje als ik met papa deed. Op die manier probeer je dingen te begrijpen.’

‘O,’ zegt Thijs. Hij snapt er niets van. ‘Kunnen we dat niet beter op mijn kamer doen?’

‘Nee joh, het is zo klaar. En hier horen we tegelijkertijd wat Marnix aan het doen is. Daar gaat-ie. Jij bent Marnix, ik ben een agent,’ legt Isa zacht uit. ‘Ik ga jou verhoren. Oké?’

‘Oké.’

‘Marnix, waarom moeten alle kinderen doen wat jij zegt?’ vraagt Isa op gedempte toon. ‘Kun je dat uitleggen?’ Ze glimlacht vriendelijk en knikt bemoedigend.

‘Nou, dat is gewoon leuk,’ verzint Thijs.

‘Leuk?’ Isa’s stem klinkt opeens scherp. ‘Dus jij vindt het leuk als kinderen dingen voor jou doen alleen omdat ze bang voor je zijn?’

‘Stil nou!’ waarschuwt Thijs. Hij legt zijn vinger tegen zijn lippen.

‘Geef antwoord!’ sist Isa streng.

‘Tuurlijk! Is toch stoer!’ fluistert Thijs. ‘Ik zeg: “Ga in die plas zitten!” en dan gaat zo’n sukkel in de plas zitten. Is toch lachen!’

‘Heeft Marnix dat echt gedaan?’ vraagt Isa verontwaardigd.

Thijs knikt. ‘Bij Jeffrey.’

‘En Marnix, hoe zou jij het vinden,’ gaat Isa op koele toon verder, ‘als ze dat bij jou deden?’

‘Ha! Bij mij? Dat durven ze niet eens!’

‘En als er nu toch iemand is?’ Isa brengt haar gezicht dicht bij dat van Thijs en ze kijkt hem strak aan. ‘Bijvoorbeeld een grote sterke jongen. En dat joch dwingt jou om in een plas te gaan zitten? Wat dan?’

Thijs zwijgt.

Isa ziet dat hij weg probeert te kijken, maar haar ogen achtervolgen hem en vangen zijn blik.

‘Dat is het!’ zegt ze zacht. ‘Daarom wil Marnix over iedereen de baas zijn. Omdat hij bang is dat het bij hem gebeurt!’

BANG, schrijft ze op haar blok.

‘Voor mij is hij echt niet bang,’ fluistert Thijs. ‘En gelijk heeft-ie. Hij is een stuk sterker dan ik.’

‘Met zijn spierballen wel,’ zegt Isa, terwijl ze naar het papier staart. ‘Maar met zijn hersens niet.’ Ze richt haar ogen op Thijs en kijkt hem recht aan.

‘Eigenlijk ben jij onwijs dapper,’ zegt ze. Haar pen wijst in zijn richting.

‘Ik? Dapper?’ Thijs schudt zijn hoofd. ‘Nou, zo voelt het anders niet. Ik vind mezelf de grootste zwakkeling die rondloopt. Ik durf nauwelijks naar buiten en het liefst meld ik me ziek voor de training.'

'Omdat je bang bent, en dat is logisch. Iedereen is bang als hij zo gepest wordt. Maar toch sluit je je niet bij hem aan. En dat doen de meeste andere kinderen wel. Die buigen liever voor Marnix dan dat ze zelf het mikpunt worden van zijn pesterijen. Ik denk zelfs dat ze jou pesten om Marnix te vriend te houden. Het is niet dat ze een hekel hebben aan jou, maar ze zijn gewoon bang voor Marnix.'

'Leuk bedacht,' zegt Thijs, 'maar er klopt geen snars van. Als ik zo'n held ben, waarom loop ik dan nu niet het veldje op en ga ik mee voetballen?'

'Omdat dat stom zou zijn,' zegt Isa. 'Dat weet je zelf ook wel. Dan vraag je erom om in elkaar gemept te worden. Je hebt niets om je mee te verdedigen. Dan doe je hetzelfde als een soldaat die met alleen een vliegenmepper de oorlog in gaat. Waar het nu om gaat, is dat we de juiste wapens vinden. We moeten een middel vinden om Marnix te verslaan!'

'Hier!' klinkt de woedende stem van Marnix vlakbij. 'Achterlijke sukkel! Ik zeg toch: HIER!'

Isa stopt het schrijfblok en de pen weer in haar rugzak.

'Weet jij waar Marnix woont?' vraagt ze.

Thijs schrikt.

'Een paar straten verderop. Hoezo?'

'Omdat,' zegt Isa, terwijl ze haar rugzak over haar schouder hangt, 'we daar nu heen gaan.'

12 Het huis van Marnix

Met zijn hand diep in zijn broekzak loopt Thijs door de straten. Af en toe kijkt hij vluchtig over zijn schouder en ziet Isa een heel eind achter zich.

Wat een hopeloos plan! denkt hij. Waarom moeten we zo nodig naar het huis van Marnix? Wat valt daar nou te zien? Er komt alleen maar ellende van, dat weet ik nu al.

Zijn vingers grabbelen voortdurend tussen de kiezels in zijn broekzak. Hoewel Isa het hem verboden heeft, kijkt hij toch weer over zijn schouder.

'We mogen niet samen gezien worden,' had Isa gezegd. 'Niemand mag merken dat wij iets met elkaar te maken hebben. Daarom blijf ik een eindje achter je.'

Een eindje? denkt Thijs. Ze loopt zowat aan de andere kant van de stad! Hij houdt zijn pas in, maar Isa doet precies hetzelfde. De afstand tussen hen blijft gelijk.

Dat schiet niet op! denkt Thijs. Dan maar flink de vaart erin. We moeten klaar zijn voordat Marnix thuiskomt. Hopelijk blijft hij nog uren voetballen.

Thijs slaat de hoek om. Daar, wat verderop, ziet hij het huis van Marnix.

Als dat joch nou maar niet zijn knie verdraait ... Of weer eens boos wordt en er geen zin meer in heeft ...

Thijs begint steeds sneller te lopen. Nog even en hij is er. Hij haalt alvast een handvol kiezels uit zijn zak. Precies voor de deur van Marnix legt hij ze op een stapeltje op de stoep. Vanonder zijn sluike haar ziet hij Isa de hoek om komen. Ze kijkt rustig om zich heen, alsof ze aan het winkelen is.

Thijs loopt weer door. Een meter of tien verderop duikt hij van de stoep af en hij verstopt zich tussen de auto's. Door de autoruit heen ziet hij hoe Isa aan komt wandelen. Precies bij de kiezels blijft ze staan. Ze haalt op haar gemak een krant uit haar rugzak en loopt ermee naar de voordeur.

Thijs leunt zwaar op de kofferbak van de auto en houdt zijn adem in.

Er is hier maar één held, denkt hij. En dat is zij!

Isa bukt zich en doet alsof ze de krant door de brievenbus wil doen. Stiekem gluurt ze door de openstaande klep naar binnen. Dan loopt ze naar het voorraam en zet haar hand tegen de ruit.

Thijs' slapen beginnen te bonken. Ze is gek! gonst het door zijn hoofd. Ze weet niet eens of er iemand thuis is! Zijn ogen schieten heen en weer de straat langs. Stel dat Marnix nu de hoek om komt …

Thijs ziet Isa bij het raam vandaan stappen. Nu komt ze zijn kant op. Zonder een blik op hem te werpen loopt ze langs hem heen. Pas als ze aan het andere einde van de straat is, rent Thijs achter haar aan. Gehurkt tussen een paar vuilnisbakken wacht ze hem op.

'En?' hijgt Thijs. 'Heb je wat gezien?'

'Volgens mij is er niemand thuis,' zegt Isa. 'We kunnen best wel even aan de achterkant gaan kijken. Misschien dat we daar wat vinden.'

'Aan de achterkant? Ben je niet goed snik? Wat als Marnix met zijn fiets de tuin in komt scheuren? Wat zeg je dan tegen hem?'

'Nou gewoon, eh, dan zeg ik dat ik mijn konijn kwijt ben. Mag ik je mobiel even lenen? Met die van mij kan ik geen foto's maken.'

'Je konijn?' Thijs draait met zijn ogen. 'Ja, dat zal-ie geloven!'

'Doe nou niet zo vervelend, Thijs! Ik verzin wel wat. Ik zal toch moeten gaan kijken.'

'Naar wat dan? Waar ben je naar op zoek?'

Isa haalt haar schouders op.

‘Wist ik het maar,’ zegt ze aarzelend. ‘Ik zoek iets, ik weet niet precies wat, maar iets waardoor we Marnix kunnen laten stoppen met pesten.’
Thijs kijkt Isa lang aan.
Ze doet het voor mij, denkt hij. Alleen voor mij. Maar waarom? Ze heeft zelf al problemen genoeg.
‘Ik wil niet dat je gaat,’ zegt hij. ‘Dat Marnix mij pest, vind ik minder erg dan dat jou wat overkomt.’
Isa begint te blozen. Snel buigt ze zich over de telefoon en drukt wat op de knopjes.
‘Nou, doei, dan ga ik maar,’ zegt ze, terwijl ze zich al omdraait. ‘Wacht je hier op me?’

Thijs zit al eeuwenlang tussen de stinkende vuilnisbakken. Precies de plek waar ik thuishoor, denkt hij terwijl hij naar het paadje gluurt waarin Isa verdwenen is. Afval bij afval. Want welke jongen doet nou zoiets? Je laat een meisje toch niet het gevaarlijke werk opknappen?
Voor de zoveelste keer komt hij overeind. Zijn ogen schieten schichtig de straat langs. Gelukkig nog steeds geen Marnix! Zijn blik gaat meteen weer naar het steegje.
Waar blijft Isa nou? Er zal toch niks gebeurd zijn?
Hij kan zowat niet meer stilstaan. Zal ik gaan kijken? En dan? Wat als Marnix komt? Dan weet hij ook meteen wie Isa is. Dan kunnen we helemaal niets meer tegen hem beginnen. Nee, balen, ik moet wa.. Isa! Eindelijk, daar is ze!
Isa komt het steegje uit lopen. Meteen slaat ze rechtsaf en loopt bij Thijs vandaan.
Thijs telt tot tien, dan rent hij achter haar aan. Wat verderop tussen de struiken wacht ze hem op.
‘En?’ vraagt Thijs. ‘Heb je wat gevonden?’
Isa schudt haar hoofd.

'Niet echt. We moeten nog eens terug als Marnix thuis is. Misschien vanavond, in het donker.'

Thijs voelt zijn maag samentrekken.

'Vanavond? Dan kan ik niet,' liegt hij snel. 'Dan moet ik trainen.'

13 ☺ Danst als Shakira ☺☺ zegt:

Isa zit op het bed van Thijs. Ze kijkt nog eens naar de foto's die ze bij Marnix' huis gemaakt heeft.

Op de eerste zie je door het achterraam heen de woonkamer. De volgende foto is van een oude, grijze hond die ligt te slapen op de bank. Isa drukt weer door en het portret van een dikke peuter verschijnt in beeld. De foto hangt, groot als een poster, in een lijst aan de muur van de woonkamer.

Leuk ventje was je vroeger, Marnix, denkt Isa spottend. Met een wit strandhoedje op lacht hij naar de fotograaf. Zijn ene tandje kraait hij bloot, terwijl hij zijn armpjes in de lucht steekt.

Deze foto dan maar? denkt Isa terwijl ze naar Marnix' bleke spekbeentjes kijkt. Als rollades steken ze uit een geel pofbroekje.

Ze staat op van het bed.

'Zullen we deze op de msn zetten?' Ze houdt het mobieltje voor Thijs' gezicht.

Hij begint te lachen.

'Wie is dat? Toch niet Marnix? Wat een raar ventje! Ja, die foto doen we! Dan kan iedereen zien wat voor sukkel hij is.'

Isa voelt zich warm worden vanbinnen. Thijs lacht! En dat komt door mij! Zo vrolijk heb ik hem nog niet eerder gezien. Echt tof!

Thijs typt zijn wachtwoord in.

'Wat zullen we schrijven?'

'Zeg maar, eh,' aarzelt Isa, 'zeg maar: "Marnix, als jij zo'n slachter bent, dan weet ik nog wel een leuk varkentje voor je." En dan zetten we die babyfoto erbij.'

Thijs ligt dubbel van het lachen. De tranen rollen over zijn wangen.

SHIT!!!!!

'Bruut! Da's een goeie!'
Hij veegt zijn ogen droog en sluit zijn telefoon op de computer aan. Dan begint hij snel te typen. Opeens, midden in de zin, stopt hij. Zijn vingers hangen stil als libelles boven het toetsenbord.
'Nee!' zegt hij kwaad. 'Ik ben toch niet achterlijk! Ik doe het niet! Marnix ziet meteen dat het bij mij vandaan komt. Ik moet er niet aan denken wat er dan gebeurt ...'
'Stom van ons, je hebt gelijk!' zegt Isa. 'We zouden ook onder mijn naam schrijven. Weet je nog? Laat mij maar even.'
Thijs en Isa wisselen van plaats. Nu vliegen Isa's vingers over het toetsenbord.

☺ Danst als Shakira ☺☺ zegt:

☹☹ *Marnix stoere slachter, check je email !!! Het schattige varkentje dat je dan ziet lijkt veel op jou! Knor, knor!!!* ☺☺

Achter haar rug hoort Isa Thijs lachen.
'Dat zal hem leren, die rotzak!' juicht hij.
'Zal ik die foto naar al je adressen sturen?'
'Tuurlijk! De hele klas mag meegenieten!'
Isa voegt de foto toe en stuurt haar e-mail naar de adressen van Thijs' verzendlijst. Dan gaat ze terug naar msn en typt weer verder.

☺ Danst als Shakira ☺☺ zegt:

☹☹☹ *Nu ik nog ff goed kijk... ja, ik weet 4-sure dat jij het bent Marnix !!!* ☺☺ *Die varkenspoten van jou zien er nog net zo uit als toen! Hahahaha ☺☺*

'Heeft hij eigenlijk wel varkenspoten?' vraagt Isa.
'Niet echt,' lacht Thijs. 'Maar wat maakt dat nou uit.'

☺ Syllie Sil zegt:

☺ ***Is dat echt een foto van Marnix? Lache!!!***☺☺

☺ Bella Btrix zegt:

☹☹ Echt niet lache ☹☹ Wie de hel is die Shakira ? Wat is dat voor bitch?☹☹

☺ Syllie Sil zegt:

☹☹ ***Kwee niet*** ☹☹

☺ Bella Btrix zegt:

☹☹ Met zo'n foto loop je toch iemand te fokke!!☹☹
Dat doe je toch niet!!!!! ☹☹

☺ Syllie Sil zegt:

☹☹☹ ***Marnix zal wel stinking woest wezen***☹☹☹

☺ Bella Btrix zegt:

☹☹Als ik die meid zie, krijgt ze een knal!!!☹☹

Isa staart naar het scherm.

Wat krijgen we nu? denkt ze. Nemen die meiden het op voor Marnix?

Thijs snuift kwaad.

'Het lijkt wel of ze verliefd zijn op die sukkel!'

'Verliefd?' Langzaam schudt Isa haar hoofd. 'Nee, ik denk eerder bang.'

☹☹☹Slachter Mnix zegt:

☹☹☹ Hahahaha! Die foto!!! Wat is dat voor grap???
☹☹☹ Ik lach me scheel, maar niet heus!!!☹☹☹

☹☹☹Slachter Mnix zegt:

☹☹☹Als ik die Shakira☹bitch te pakke krijg, gaat ze eraan!!!☹☹☹

☺ Syllie Sil zegt:

☺☺☺Hahahahahahahaha!☺☺☺ Goed idee!!!!☺☺☺

☹☹☹Slachter Mnix zegt:

☹☹☹Ik heb Thijssie gezien met een meid☹☹☹ Heeft die vuile rat verkering?☹☹☹

☺ Bella Btrix zegt:

☺☺☺ Hahaha!☺☺ Lijkt me niet!!!!☹☹ Wie wil nou verkering met zo'n sukkel????☺☺☺

'Ik doe dat ding uit!' zegt Isa. Woedend drukken haar vingers de toetsen in. 'Ik word er niet goed van. Wat een misselijk stel.'

‘Hoe kan dat nou?’ hijgt Thijs. Zijn stem klinkt geknepen, of iemand zijn keel dichtdrukt. ‘Marnix heeft ons samen gezien … Wanneer? Waar? Ik snap er niets van.’ Bijtend op zijn nagel staart Thijs naar het zwarte scherm.

‘Eén ding weet ik wel,’ zegt hij na een poos. ‘Het zal niet lang duren voordat Marnix erachter is dat jij hier ook woont.’

14 Foto's

'Ging het een beetje op school?' vraagt Isa de volgende middag aan Thijs. Ze komt dicht bij hem staan en kijkt hem onderzoekend aan.

Thijs haalt zijn schouders op, voelt haar arm tegen de zijne, wendt toch zijn hoofd af.

'Ging wel,' mompelt hij.

'Had Marnix het nog over mij?'

'Maar een keer of duizend. "Dombo Thijssie heeft een meissie", en meer van dat soort dingen.'

'En de foto?' vraagt Isa. 'Heb je daar nog iets over gehoord?'

'Niet echt, maar ...' Thijs aarzelt.

'Maar wat?'

'Nou ja, ik weet het niet zeker, maar het leek of Marnix nog sneller kwaad werd dan anders.'

'Wat dan?'

'Het was raar. Jeroen en Achmed waren gewoon een beetje aan het dollen en opeens werd Marnix toch link! Hij schreeuwde dat, als ze hem nog één keer zouden uitlachen, hij hen verrot zou slaan.'

'Echt?' Isa's gezicht begint te stralen. Ze lacht zo vrolijk dat Thijs er warm van wordt. 'Chill! Marnix wordt zenuwachtig! Hij is niet gewend om aangepakt te worden. Kijk eens op msn wat hij te zeggen heeft.'

Slachter Mnix zegt:

☹☹☹ Vuile Rat, ben je daar eindelijk?☹☹☹Weet nu op welke school die bitch van jou zit!!!!☹☹ Morge gaat ze eraan!☺☺☺

Thijs voelt het bloed uit zijn gezicht trekken. Als op de vlucht schuift hij over de zitting naar achteren, weg bij het scherm vandaan.
'Hoe kan dat?' kreunt hij. 'Hoe kan Marnix weten op welke school jij zit?'
'Hij bluft!' zegt Isa. Haar ogen kijken koud naar het scherm. Haar stem klinkt hard. 'En al zou hij het weten, wat dan nog? Ik ben niet bang voor dat joch.'
Thijs kijkt op naar Isa. Zijn ogen glijden onderzoekend over haar gezicht. Haar neusvleugels staan wijd. De spieren bij haar kaken ziet hij spannen. Zijn eigen maag trekt in een kramp samen.
Mijn schuld, denkt hij, het is mijn schuld.

'Thijs?' klinkt mams stem van beneden. 'Thijs, het is half vijf. Moet je niet naar training?'
Mooi niet, denkt Thijs. Ik hoef Marnix nu echt niet te zien.
'Vandaag is er geen training!' roept hij terug. 'Het veld is bezet.'
Onder aan de trap blijft het stil. Isa trekt vragend haar wenkbrauwen op.
'O,' zegt mam dan. 'Maar jullie gaan toch zeker wel buiten spelen? Jullie blijven toch niet de hele tijd binnen hangen?'
'We gaan zo!' roept Thijs.
'Hoef je echt niet naar training?' vraagt Isa.
'Ik heb geen zin,' zegt Thijs.
'Je moet juist wel gaan!' Isa kijk hem fel aan. 'Je moet niet weglopen voor Marnix!'
Thijs laat zijn hoofd zakken.
Zij heeft makkelijk kletsen ...
Isa begint door de kamer te lopen. Ze gluurt vanachter het gordijn door het raam, loopt verder, staart dan naar de poster van

Klaas-Jan Huntelaar.

'Ik ga mee!' zegt ze opeens. 'Vanachter de bosjes kan ik foto's maken. We moeten nu doorzetten, Thijs! Iedere dag moet er een foto van Marnix op internet staan. Dan merkt hij wel dat wij niet bang voor hem zijn.'

Thijs slikt. Ik, niet bang? Ze moest eens weten …

'En als Marnix jou dan bezig ziet? Dan snapt hij meteen dat wij die babyfoto hebben verstuurd.'

'Nou en?' Isa zwiept haar lange haar naar achteren. 'Dat kan mij niet boeien.' Ze haalt zijn voetbalschoenen uit de hoek en laat ze voor Thijs op de grond vallen. 'Trek aan, dan gaan we.'

Een halfuur later staat Thijs tussen de andere jongens op het veld. Marnix kijkt hem de hele tijd strak aan.

Niet terugkijken, denkt Thijs. Gewoon doen alsof je het niet doorhebt.

'Vandaag staan er mensen van de technische commissie langs de lijn,' zegt de trainer. 'Dus zet allemaal je beste beentje voor! Het gaat om een plek in de selectie.' De ogen van de trainer blijven even rusten op Thijs.

De jongens die kans denken te maken huppen en springen van spanning. Thijs knikt afwezig.

Waar is Isa gebleven? denkt hij steeds. Net zat ze nog tussen de bosjes. Maar nu? Hij draait zijn hoofd en zoekt een groenstrook af.

'Jullie gaan naar dat doel,' zegt de trainer. 'En de anderen gaan naar de overkant.'

Thijs ademt opgelucht. Super! Ik zit niet bij Marnix!

Terwijl hij met zijn ogen de randen om het veld afzoekt, rent hij achter zijn ploegje aan.

Daar is Isa! Hij ziet haar een sprintje naar de kantine trekken. En weg is ze. Thijs kijkt snel naar het andere doel. Gelukkig!

Marnix heeft niets door. Hij is druk bezig een bal hoog te houden.

Kijk hem zijn best doen, denkt Thijs bitter. Wat wil die gozer graag in de selectie. Nou, als hij erin komt, hoef ik niet eens.

'Thijs, doe je ook nog mee?' klinkt de stem van de trainer.

'Schiet op, dribbelen, om de pionnen heen en dan scoren!'

Thijs pakt een bal. Al dribbelend kijkt hij opzij naar de kantine. Daar gaat ze! Isa sluipt gebukt over het terras tussen stoelen en tafels door. Ze rent naar het veld en duikt weg achter de dug-out. Thijs kreunt. Ze is gek!

'Doorwerken!' brult de trainer.

Thijs krijgt een por van Jordi. Hij schrikt op, spurt weg, omspeelt de pionnen en schiet op doel.

Mis! Machtig, wat een afzwaaier!

De trainer schudt zijn hoofd. Snel rent Thijs achter de bal aan. Vanuit zijn ooghoeken ziet hij Isa op haar buik achter de dug-out liggen. Ze houdt het telefoontje voor haar gezicht. Thijs knielt neer en doet alsof hij zijn veter strikt. Vanonder zijn haar gluurt hij naar Marnix. Zo te zien heeft die sukkel niets in de gaten. Hij is veel te druk met zijn eigen kunstjes.

'Thijs, komt er nog wat van?' roept de trainer.

'Mijn veter!' roept Thijs terug. Hij ziet Isa opstaan en weglopen.

'Hè, hè.' Opgelucht blaast hij uit. Laat Isa alsjeblieft gauw naar huis gaan! Hij sprint terug naar zijn groepje en gaat helemaal vooraan staan. Hij kijkt de trainer oplettend aan en doet goed zijn best om te luisteren. Nu zal hij die commissie eens laten zien wat hij kan. Nog een laatste keer dwalen zijn ogen af naar Isa.

Wát? Met wie staat ze nu te praten? Dat lijken wel twee meiden uit mijn klas! Ja, Sylvia en Tamara! Shoot! Als ze zich maar niet verraadt ...

‘Wat sta je nou naar die meiden te kijken,’ klinkt de stem van de trainer boos. ‘Kom op, Thijs, ga nou eens voetballen. Ik weet dat je het kunt. Verknal het nou niet. Voor meiden heb je later nog genoeg tijd.’

Thijs knikt. Hij ziet Isa met Tamara en Sylvia het veld af lopen.

Shoot! Als dat maar goed gaat…

15 Zo gek als een deur!

Verscholen tussen een groep vriendinnen loopt Isa de volgende dag over het schoolplein naar de fietsenstalling.

'Ik fiets vandaag een eindje met jullie mee,' zegt ze.

De vriendinnen kijken verbaasd.

'Maar je moet toch de andere kant op?'

'Alleen een klein stukje,' zegt Isa. 'Voor de gezelligheid.'

'Komt je moeder alweer bijna thuis?' vraagt Naomi.

'Nee, nog niet.' Isa's ogen speuren buiten het hek naar Marnix. 'Het gaat nog niet zo goed met mama,' vertelt ze terwijl ze opstapt. 'Ik mag niet eens bij haar op bezoek. De dokter zegt dat het voor mij beter is als ik nog even wacht. Over een tijdje is mama wel weer blij als ik kom.'

Aan de rand van de stoep remt ze af. Auto's en brommertjes razen langs. Wat verderop klinkt het bellen van een tram. Marnix is nergens te zien.

'Het lijkt me zo erg,' zegt Lise voordat ze de straat oversteken. 'Ik zou mijn moeder onwijs missen.'

Isa slikt.

'Dat doe ik ook,' zegt ze. 'En vooral ook mijn vader.'

Een auto toetert hard.

'Ga je met mij mee?' roept Hilde al fietsend over haar schouder. 'Ik heb een nieuw spel op de computer. Echt onwijs gaaf.'

Isa schudt haar hoofd.

'De volgende keer, oké? Doeg! Ik ga hier naar rechts.'

Isa zwaait en slaat een zijstraat in. Met een omweg fietst ze naar haar nieuwe huis.

'Hoi, tante Eva,' zegt ze als ze door de keuken binnenkomt. 'Is Thijs er al?'

'Ha, Isa! Wat ben je laat. Hoe was het op school?'

'Leuk.' Isa huppelt van ongeduld. Bij haar eigen moeder zou ze meteen doorrennen, maar dat durft ze hier nog niet.

'Thijs zit op zijn kamer,' zegt moeder. 'Wat hij daar aldoor te zoeken heeft, ik weet het echt niet.'

'Ach ja,' zegt Isa en ze lacht. Snel loopt ze tussen boodschappentassen door en dan de trap op naar boven.

'Nou?' vraagt ze als ze ziet dat Thijs achter zijn computer zit.

Thijs geeft geen antwoord. Hij draait zich zelfs niet naar haar om.

'Wat vond Marnix van die tweede foto?' Isa pakt haastig een stoel en schuift hem naast die van Thijs. Haar ogen gaan naar het scherm en vliegen langs de tekst.

☺Syllie Sil zegt:

☺☺☺ Weet nu wie Shakira☹bitch is!!! Isa Smittenaar heet ze☹☹ Tis een vriendin van mijn nicht!!! Ze woont in centrum ☹☹

☺ Bella Btrix zegt:

☹☹☹ Echt????? Dus jij kent die bitch???☹☹☹

☺Syllie Sil zegt:

☺☺☺Heb haar wel es op verjaardag van me nicht gezien☺☺☺

☺Syllie Sil zegt:

☹☹Best wel zielig☹☹ Haar vader is dood en haar moeder is spychiatris of zoiets☹☹ Ze zit in het gekkenhuis☹☹

☹☹☹Slachter Mnix zegt:

☹☹☹ Hahahah!!!! ☺☺☺ K wist het!!! Die Shakiratrut is zo gek als een deur☹☹☹ Net zo'n ½ gare als haar ma!!!☹☹☹

☹☹☺ Slachter Mnix zegt:

☹☹☹Opsluiten die meid!!! ☹☹☺ Gekke horen in een hok!!!!!!!!!!!!☹☹☹

Isa laat zich achteroverzakken in haar stoel. Slap als dode vogeltjes vallen haar handen in haar schoot. Haar ogen zijn gesloten. Ze voelt zich moe. Heel erg moe.

'Wat gemeen!' hoort ze Thijs zeggen. 'Wat ongelooflijk gemeen! Alsof jouw moeder er iets aan kan doen!'

Isa krijgt een bittere smaak in haar mond. Ze voelt haar gezicht nat worden van de tranen.

Ik huil, denkt ze.

'Laat Marnix mij uitschelden! Maar over jou en je moeder beginnen … Wat een misselijke, stomme sukkel!'

Thijs begint te typen. Isa hoort zijn vingers op de toetsen hameren.

Wat is hij woest, denkt ze. Even opent ze haar ogen en ziet wat hij schrijft.

☺ Superfan Huntelaar zegt:

☹☹☹ FF dimmen, Marnix!!!!!☹☹☹

Isa sluit haar ogen. Haar gezicht steunt zwaar in haar handen. Tranen druppen op haar broek.

'Isa,' hoort ze Thijs zacht zeggen. Ze voelt hoe hij zijn arm voorzichtig om haar schouder legt. 'Isa, toe nou.'

Met lange, gierende uithalen begint ze te janken. Haar lichaam schokt op en neer. Ze wil wel stoppen maar het lukt niet.

Thijs knielt voor haar, legt ook zijn andere arm om haar schouder, trekt haar tegen zich aan en wiegt haar zacht heen en weer.

'Isa, alsjeblieft, Isa, toe nou.'

'Laat me maar!' huilt ze. Ze maakt zich los uit zijn omarming en vlucht met gebogen hoofd naar haar kamer. Daar laat ze zich op bed vallen. De klamboe trekt ze dicht.

'Mam,' hoort ze Thijs op de gang roepen. 'Mam, kun je boven komen? Er is iets met Isa. Het gaat niet goed met haar.'

16 Zonder Isa

’s Avonds zit Thijs met alleen zijn vader en moeder aan tafel. Wat tot voor een paar dagen zo normaal was, voelt nu vreemd, zelfs eenzaam zonder Isa.

Thijs prikt wat in zijn aardappels en schuift zijn tartaartje van links naar rechts over zijn bord. Hij krijgt geen hap door zijn keel. Niet nu Isa zo verdrietig is.

‘Het komt wel weer goed met Isa,’ zegt mam. ‘Het is normaal dat ze verdriet heeft. Wat heeft dat meisje niet meegemaakt.’ Mam staart in haar bord alsof ze daar het gezicht van Isa ziet. ‘Die dappere meid heeft zich zo lang groot gehouden. Dat houdt geen mens vol. Dan is het toch logisch dat het opeens, zomaar op is. Dat snap ik best.’

Pap legt zijn hand even op Thijs’ arm en klopt er zacht op.

Na een lange stilte tilt mam haar hoofd op en kijkt Thijs recht aan.

‘Maar het komt wel weer goed, hoor jongen. Laat haar maar even rusten.’

Nee, denkt Thijs. Mam vergist zich. Het komt nooit meer goed. En dat is mijn schuld! Ik had niet zo laf moeten zijn. Waarom heb ik het niet zelf opgenomen tegen Marnix? Daar heb ik toch geen meisje voor nodig!

‘Ik hoef ook geen eten,’ zegt hij schor. Hij stoot zijn bord van zich af en loopt de kamer uit.

‘Thijs,’ hoort hij zijn moeder roepen. ‘Thijs, toe, kom nou terug.’

Thijs gooit zich op zijn bed. Zijn hoofd verbergt hij in zijn armen.

Mijn schuld! dreunt het in zijn hoofd. Het is mijn schuld dat Isa zo verdrietig is!

Pas een hele poos later staat Thijs weer op.

Hij voelt zich wat beter nu hij weet wat hem te doen staat.

Het is de enige oplossing, denkt hij. Ik móét Isa's plan ten uitvoer brengen. Ik zal Marnix laten voelen hoe het is om zo gepest te worden. Ik zal hem dwingen om tegen Isa te zeggen dat het hem spijt.

Hij trekt zijn donkere vest weer aan en stopt zijn telefoon in zijn zak. Zijn ogen glijden bij wijze van afscheid nog een keer door zijn kamer. Alsof hij op reis gaat naar de andere kant van de wereld en misschien wel nooit meer terugkomt.

Ik hoop dat ik het overleef, denkt hij. Als ik door Marnix betrapt word, krijg ik een pak slaag van hier tot ... Nee, niet over nadenken. Het is altijd nog beter dan thuiszitten en als een sukkel af te wachten.

Hij wil zijn computer uitdoen, maar aarzelt.

Zal ik kijken of iemand nog wat te melden heeft? Nee. Vanaf nu mogen ze alles recht in mijn gezicht zeggen. Ben benieuwd of ze dat durven. Hij klikt op de muis en sluit de computer af.

Op weg naar buiten loopt Thijs nog even de woonkamer binnen. Pap en mam kijken allebei op.

'Gaat het weer een beetje?' vraagt mam.

Thijs knikt.

'En Isa?' vraagt hij. 'Is ze al beneden geweest?'

'Nee, ze slaapt,' zegt mam. 'Ik heb net even om het hoekje van haar kamer gekeken.'

'Ik ga nog even weg,' zegt Thijs.

'Nu nog? Waar ga je heen?' Mam kijkt door het raam. 'Het wordt zo donker!'

'Laat hem toch,' zegt pap.

Op de gang trekt Thijs zijn capuchon over zijn hoofd.

'Niet te laat terug!' hoort hij mam roepen.

Mijn fiets laat ik thuis, denkt hij als hij de tuin uit loopt. Ik wil niet dat Marnix hem ergens tegen een muurtje ziet staan.

Thijs sluipt door de straten. Bij iedere fietser duikt hij weg tussen de auto's of verschuilt hij zich achter een boom. Ook de ramen van de huizen houdt hij in de gaten. Stel je voor dat er iemand van school naar buiten kijkt!

Het wordt snel donkerder.

Mooi zo! denkt Thijs. Hij gaat wat rechter op lopen en kijkt wat vrijer onder zijn capuchon vandaan.

Maar wat als ze bij Marnix 's avonds de gordijnen dichtdoen? Dan krijg ik helemaal niets te zien! Dan kan ik die foto's wel vergeten. Shoot! Ik moet opschieten!

Hij begint te rennen.

Algauw is hij in de straat van Marnix. Daar dwingt hij zichzelf om rustig te lopen.

Balen, denkt hij met een blik op de vol geparkeerde stoepranden. Zo te zien zijn ze allemaal thuis. Als ik maar niet betrapt word.

Bijna overal zijn de gordijnen nog open. In de meeste woonkamers ziet hij mensen zitten. Nog een paar huizen en dan is hij er ...

Vanonder zijn capuchon kijkt hij binnen in het huis van de buren. Een oude mevrouw zit aan een tafel. De televisie staat aan.

Doorlopen! Kom, nog een paar stappen! Het liefst wil hij omdraaien en vluchten. Als Marnix nou maar niet naar buiten kijkt ... In een reflex wendt hij zijn hoofd af.

'Stel je niet aan!' mompelt hij kwaad binnensmonds. Hij dwingt zichzelf om naar het raam te kijken. Daar, achter het glas, ziet hij Marnix! Dicht tegen zijn moeder aan op de bank. Zijn hoofd tegen haar schouder gevleid.

Foto! denkt Thijs. Hij rommelt zenuwachtig in zijn zak. Op het moment dat hij zijn mobiel tevoorschijn haalt, springen de straatlantaarns aan.

Shoot! flitst het door zijn hoofd. Het voelt als kortsluiting.

Ik sta vol in de schijnwerpers! Hij duikt in elkaar en vlucht weg. Alsof Marnix hem al op de hielen zit, zo hard rent hij de straat uit. Voor zijn ogen draait zich telkens hetzelfde filmpje af: Marnix die zijn hoofd van zijn moeders borst tilt en verbaasd naar buiten kijkt.

17 Een flits in de nacht

Met bonkend hart zit Thijs verscholen in een voortuin aan het eind van de straat waar Marnix woont.

Hij heeft me gezien! raast het door zijn hoofd. Marnix keek mijn kant op, ik weet het zeker! Wat nu? Shoot! Wat nu?

Terwijl hij zijn hijgende ademhaling onder controle probeert te krijgen, wacht hij ineengedoken achter de heg af. Als het rustig blijft, verzamelt hij moed en gluurt de stoep langs in de richting van Marnix' huis.

'Pff!' Opgelucht blaast Thijs uit. Wat een mazzel! Marnix is niet naar buiten gestormd. Heeft hij me niet herkend? Dat zou mooi zijn! Wat moet ik nu? Ik kan niet weer voor zijn huis gaan staan om een foto te maken.

Thijs trekt zijn hoofd weer terug achter de heg.

Je weet best wat je moet doen! dreunt het door zijn hoofd. Er is maar één oplossing. Dus schiet op!

In plaats van overeind te komen, brengt hij zijn hand naar zijn mond.

Nee! Niet dat donkere paadje in. Hard bijt hij op zijn nagel. Niet achter die huizen langs! Als ik dan betrapt word, kan ik geen kant op. Nee, echt, dat doe ik niet!

Dan beukt zijn vuist in zijn hand.

Machtig, wat ben jij een watje! Wil je nou Isa helpen of niet? Langzaam dwingt hij zichzelf overeind.

Gebukt rent hij langs het hoekhuis naar achteren. De nauwe ingang van het paadje loert hem donker tegemoet. Hij voelt dat hij aarzelt.

'Kom op! Gaan!' Nog één keer haalt hij diep adem; zijn hart gaat tekeer als een hamerende specht. Dan stapt hij de duisternis tussen de achtertuinen in. Het dichte bladerdek torent hoog boven hem uit. Al na een paar passen ziet hij niet veel meer. Hij strekt zijn armen voor zich uit. Lange slierten klimop vegen langs zijn gezicht. Zijn voeten vechten met het opgeschoten onkruid dat langs de oude schuttingen groeit.

Sufferd, doe je lampje aan! denkt hij. Zijn hand gaat naar de telefoon in zijn broekzak. En als de batterij leegraakt? Dan kan ik nog geen foto's maken … Op de tast schuifelt hij verder.

Waar ben ik nu? denkt hij na een poos. Hij draait zich om en ziet in de verte, aan wat het eind van een lange tunnel lijkt, vaag licht door een smalle opening komen.

Hij hijst zich aan een schutting omhoog. Zijn voet bonkt tegen het hout. Wild blaffend springt een herdershond tegen het raam van een bijkeuken aan. Thijs schrikt, laat de schutting los en valt naar beneden.

Shoot! Als ze dat monster maar niet loslaten!

Hij struikelt verder door het donker. Het geblaf van de hond vult zijn oren.

Snel! Verder, verder!

Hijgend blijft Thijs staan. De hond blaft nog steeds, maar is niet naar buiten gekomen.

Rustig maar, sust Thijs zichzelf. Niks aan de hand. Gewoon doorgaan. Hoe denk je dat een inbreker zoiets doet? Die heeft altijd met dit soort ellende te maken.

Weer klimt Thijs tegen een houten schutting op. Hij duwt wat takken opzij en gluurt een huis in.

Hé! Deze kamer heb ik eerder gezien! Die gebloemde stoel en die grote plant. Maar was dat nou voordat ik langs het huis van Marnix liep of erna?

Thijs speurt langs de donkere achtergevels. Opeens houdt hij zijn adem in. Zijn ogen zuigen zich vast aan een verlicht raam op de eerste etage. Aan de muur hangt een poster van Van Nistelrooy.

‘Daar moet het zijn!’ mompelt Thijs.

Voorzichtig laat hij zich op de grond zakken en sluipt nog een stukje verder. Bij de derde schutting klimt hij omhoog. Zijn blik gaat naar een breed balkon met erachter het verlichte raam.

Daar heb je hem! Daar staat Marnix! Hij haalt iets uit een kast en loopt ermee de kamer uit.

Achter een klein raam gaat het licht aan. Vaag hoort Thijs het geruis van water.

Die sukkel gaat onder de douche! Dit is mijn kans! Ik moet zien dat ik op dat balkon kom. Nu kan ik ongezien foto’s van zijn kamer maken.

In de woonkamer ziet Thijs de vader en moeder van Marnix voor de tv hangen. Ze maken geen aanstalten om op te staan.

Als ik nou op het schuurtje van de buren klim?

Thijs’ ogen volgen het hele traject. Over die smalle muur die als scheiding tussen het huis van Marnix en de buren in staat. Dan langs het balkon omhoog. Lopend langs de buitenkant van de spijlen kom ik zo op het balkon van Marnix. Ja, dat moet lukken!

Thijs slaat zijn benen over de bovenste plank van de schutting en springt tussen de struiken van de buren. Via een stapel tegels klimt hij op het schuurdak. Op zijn buik schuift hij als een worm over het vochtige dak in de richting van het huis.

Vanuit de keuken van Marnix’ huis valt fel neonlicht naar buiten. Thijs slikt. Als niemand mij maar ziet …

Voetje voor voetje schuifelt hij over de smalle muur naar de achtergevel, zijn armen zijwaarts gestrekt als een koorddanser.

Alleen het parapluutje ontbreekt, denkt Thijs. Hij begint te wankelen, corrigeert met zijn armen maar dat helpt niet. Steeds wilder wieken zijn armen. Nog net weet hij met zijn rechterhand de onderkant van een spijl van het balkon te pakken.

Shoot! Dat scheelde weinig! Thijs’ hart beukt in zijn keel.

Vlug trekt hij zich op aan de spijlen. Zijn voeten klauteren langs de muur omhoog. Nu staat hij aan de buitenkant van het balkon van het buurhuis. Door het openstaande badkamerraam hoort hij Marnix zingen.

''t Is stil aan de overkant!' loeit Marnix boven het gekletter van het water uit.

'Drukker dan je denkt, sukkel!' fluistert Thijs. Snel loopt hij langs het hek en klimt op het balkon van Marnix.

''t Is stil aan de overkant!' zingt Marnix weer.

Hij moest eens weten dat ik hier sta! denkt Thijs. Hij zou in zijn nakie naar buiten komen stormen. Ha! Dat zou een mooie foto geven! Thijs grinnikt van de zenuwen.

Maar wacht eens ... Als ik nou eens ... Zijn ogen gaan omhoog naar het openstaande raampje. Rond zijn navel begint het te tintelen. Zal ik nú een foto van Marnix maken? Nu hij in zijn blote pierewaaier onder de douche staat? Wat heb ik hem dan te pakken! Dan durft hij nooit meer naar school!

Thijs sluipt onder het badkamerraam vandaan.

Nee, denkt hij, dat gaat te ver. Zelfs als het om zo'n ellendige lamzak gaat als Marnix.

Hij drukt zich naast het slaapkamerraam tegen de muur en gluurt met zijn telefoontje in de aanslag naar binnen. Langs de achtermuur staat het bed van Marnix. "Feyenoord" staat er groot op het dekbed. Naast het kussen ziet Thijs een joekel van een aap in een groen-wit gestreept sportbroekje. Aan zijn knuisten zitten rode bokshandschoenen.

Cool, zo'n aap! is het eerste wat in Thijs' hoofd opkomt. Vlug duwt hij die gedachte weg.

'Ha! Die sukkel slaapt nog met een knuffel!' mompelt hij. Snel maakt hij er een foto van. De flits licht op. 'Shoot!' Geschrokken duikt Thijs in elkaar.

Heeft iemand uit de huizen achter hem de flits gezien?

Kijkt iemand zijn kant op? Thijs speurt tussen de spijlen door. Alles lijkt rustig, maar toch …

Een tijdlang blijft hij gehurkt zitten.

Marnix heeft de douche uitgedaan en is weer terug in zijn kamer. Thijs ziet zijn schaduw over het balkon dwalen.

Voorzichtig komt hij een stukje omhoog en gluurt naar binnen.

Kijk! Slachter Mnix zit weer eens achter zijn computer. Hij checkt zeker of er nog wat te pesten valt. Wacht maar, sukkel, morgen ben je zelf aan de beurt!

Thijs zakt op zijn knieën en kruipt wat verder onder het raam. Misschien kan hij lezen wat Marnix typt. Hij richt zich weer op om naar binnen te gluren als Marnix opeens in pyjama voor het raam staat.

Help! Thijs' hart krimpt samen. Het voelt of Marnix zijn hand tussen zijn ribben gestoken heeft en het bloed uit zijn vaten wringt. Net als water uit een spons. Hij laat zich plat op zijn buik vallen.

Goed dat ik mijn capuchon op heb! is het enige wat hij denkt. Hij hoort hoe Marnix boven zijn hoofd de gordijnen dichtschuift.

Pas na een eeuwigheid durft Thijs weer adem te halen. Hij draait zich op zijn zij en kijkt naar het donkere raam boven zich.

Balen! Meer foto's kan ik wel vergeten!

Ruw wordt het gordijn weer opzijgeschoven; een reep licht valt naar buiten. Thijs drukt zich hard tegen de muur aan. Boven zijn hoofd hoort hij iemand tegen het kozijn slaan.

'Pokkeding!' scheldt Marnix. Het raam schiet open en wordt vastgezet. Dan gaat het gordijn weer dicht.

Thijs blijft roerloos liggen. Hij durft niet overeind te komen. Niet nu zijn hart nog zo tekeergaat.

'Pof, pof, pof,' hoort hij door het raam. Van diep uit het huis klinkt het geluid van een deurbel. Hard en dwingend wordt erop gedrukt. Als er wordt opengedaan, bolt het gordijn naar buiten.

Thijs vermant zich, komt omhoog, steekt zijn hand door het raam en tilt het gordijn een stukje op.

Ha! Daar ligt Marnix met zijn knuffeltje! Thijs voelt de haat in zijn buik gloeien. Nu heeft hij die sukkel te pakken! Hij brengt zijn fototoestel onder het gordijn door. Dit wordt hem! Marnix spelend met zijn knuffeltje in bed!

'Pof, die is raak!' zegt Marnix. Hij houdt de aap bij zijn rode handschoenen vast en bokst ermee in de lucht. 'Wil je er nog een, stomme sukkel? Pof. Pof!'

Net als Thijs Marnix goed in beeld heeft en zijn vinger op het knopje legt om af te drukken, hoort hij een meisjesstem uit het huis komen.

'Ik wil hem spreken, nu!' zegt ze fel.

Thijs laat zijn mobieltje zakken.

'Isa?' fluistert hij. 'Wat doet zíj hier?'

ROTTERDAM
FEYENOORD

18 Rotmeid!

Isa staat oog in oog met de moeder van Marnix. De vrouw houdt de deur vast, klaar om hem in haar gezicht dicht te gooien. Isa zet zich schrap.

'Ik wil hem spreken, nu!' zegt ze fel. Haar wenkbrauwen zijn gefronst tot een donderbui. Haar ogen zo vol vuur dat een spuwende vulkaan er niets bij is.

Ik zal dat misselijke joch eens zeggen wat ik van hem denk! raast het door haar hoofd. En niet alleen hem, maar zijn ouders ook!

Isa voelt de ogen van de vrouw over haar gezicht dwalen.

'Waarom?' vraagt ze op haar hoede. 'Om Marnix nog meer te pesten?'

Isa knippert met haar ogen. Wij hém pesten? Waar heeft dat mens het over? Ze steekt haar kin naar voren en kijkt de vrouw strijdlustig aan.

'Ik wil hem spreken,' zegt ze weer. 'Kan dat?' Ze kijkt langs de vrouw de hal in.

'Hoe durf je het te vragen!' vaart Marnix' moeder kwaad uit. 'Hoe durf je aan de deur te komen, rotmeid die je bent!' De vrouw wordt steeds roder en blaast zich almaar verder op. Als een nijlpaard zo breed staat ze in de deuropening. 'Ik weet hoe erg jullie hem pesten! Marnix heeft me alles verteld.'

'Wat, wat heeft-ie verteld?' vraagt Isa. Haar boosheid vloeit weg. Ze snapt er geen snars meer van.

'Ja, nou heb je opeens niet meer zo veel praatjes,' raast Marnix' moeder verder. 'Maar ik weet maar al te goed wat jullie doen. Met zijn allen tegen één. Bah, wat een misselijk stel!'

'Maar mevrouw,' probeert Isa ertussen te komen.

'Niks geen ge-mevrouw. Met smoesjes hoef je bij mij niet aan te komen. Daar trap ik niet in. Ik zie met mijn eigen ogen hoe Marnix uit school komt! Dag in, dag uit sluit hij zich op in zijn kamer. Urenlang. Het arme joch. En dat terwijl hij zo van buiten spelen houdt.'

'Nou, ik zag hem gisteren anders nog voetballen,' zegt Isa kwaad.

Nou moet dat mens ophouden! denkt ze.

'Zie je wel! Ik wist het!' ratelt de vrouw weer verder. 'Jullie zitten mijn Marnix overal op de hielen! Een stelletje pestkoppen, dat zijn jullie! En weet je wat het ergste is?' Ze buigt zich naar Isa toe en kijkt haar vuil aan. 'Het ergste is dat het ten koste van Marnix'voetballen gaat. Die jongen is gewoon de beste van zijn team. Als iemand een plek in de selectie verdient, is híj het wel. Hij traint zich helemaal uit de naad en een spelinzicht dat-ie heeft ... Daar kunnen al die andere kinderen nog héél wat van leren.'

'Marnix kan vooral goed dreigen en commanderen!' snauwt Isa.

'Maar door dat gepest van jullie ...' De wijsvinger van de vrouw duwt dreigend tegen Isa's borstbeen. 'Door dat ellendige, misselijke gepest van jullie is hij helemaal uit zijn doen. Hij scoort haast nooit meer. Is dat nou niet erg? Het schaadt zijn hele loopbaan. Weg carrière als profspeler!' De vrouw richt zich op. 'Het is toch zo, Arie?' roept ze over haar schouder. 'Zeg ook eens wat!'

Een donker gebrom klinkt uit de woonkamer.

'Nee!' zegt Isa hard. 'Zo is het helemaal niet! Het is juist Marnix ...'

De vrouw veegt met haar hand Isa's woorden weg alsof het hinderlijke vliegen zijn.

'Mijn man snapt het niet,' zegt ze. 'Hij denkt dat het aan Marnix zelf ligt. Dat hij niet genoeg zijn best doet. Maar dat is natuurlijk onzin. Ik mag die knul zelfs geen zakgeld meer geven als hij niet in de selectie komt.'

'Misschien is uw Marnixje gewoon niet goed genoeg voor de selectie,' zegt Isa, terwijl ze een stap naar achteren doet.

Nu snap ik het! denkt ze. Nu weet ik waarom Marnix Thijs pest! Het gaat hem niet om macht, maar het gaat om een plek in de selectie!

'Ik waarschuw je, meid!' dreigt de moeder van Marnix. 'Laat ik niet merken dat jullie ooit nog in de buurt van mijn zoon komen. Want dan ...'

Met een klap slaat de deur voor Isa's neus dicht.

19 Bel de politie!

Thijs staat op het balkon en gluurt onder een kiertje van het gordijn door. Zelfs door het geopende raam hoort hij de harde stem van de moeder van Marnix. Af en toe klinkt Isa's stem erdoorheen.

Wat doet Isa hier? denkt Thijs. Ze zal toch niet naar me op zoek zijn? Ze zal toch niet aangebeld hebben om te vragen of ze mij gezien hebben? Hij kreunt zacht. Shoot! Straks gaan ze nog naar me op zoek!

Thijs ziet hoe Marnix zijn deken terugslaat. Hij glipt uit bed en loopt op zijn tenen naar de deur. Met zijn aap onder zijn arm blijft hij in de opening staan. Eén oor draait hij in de richting van het trapgat. Langzaam verschijnt er een tevreden grijns op zijn gezicht.

Die blik ken ik! denkt Thijs. Zo kijkt Marnix ook als hij mij weer eens te grazen genomen heeft. Maar nu gaat het om Isa. Wat is er toch aan de hand?

Thijs buigt en strekt zijn vingers. Ze jeuken vreselijk. Het liefst zou hij die grijns van Marnix' snuit vegen.

'Zo is het helemaal niet!' hoort hij Isa schreeuwen.

Marnix lacht, zijn aap buitelt door de lucht. Hij vangt hem op en laat hem tegen de deurpost boksen.

Thijs spant zich tot het uiterste in. Balen! Hij kan niet horen wat er gezegd wordt! Hij steekt zijn hand tussen het raam en tilt het uitzetijzer op. Voorzichtig, met zijn ogen op Marnix gericht, zet hij het wat verder open.

Vanuit het huis klinkt een dreun. Het gordijn bolt op tot boven Thijs' hoofd. Marnix vlucht terug naar bed en kruipt onder de dekens. Voetstappen klinken op de trap.

'Wie was dat, mama?' vraagt Marnix als zijn moeder op de

drempel verschijnt.

'Ach, knulletje van me.' Zijn moeder gaat op de bedrand zitten en veegt het haar van zijn voorhoofd. 'Maak jij je maar geen zorgen. Van dat nare kind zul je geen last meer hebben.'

Thijs schrikt. Wat heeft dat mens met Isa gedaan?

'Echt niet, mammie?' vraagt Marnix op een toon die Thijs nog nooit van hem gehoord heeft.

Thijs tilt het gordijn nog een centimeter verder op. Nu kan hij zien hoe Marnix zich met zijn aap in zijn arm tegen zijn moeder aan nestelt.

'Ga maar lekker slapen, lieverd. Die meid heeft haar lesje geleerd.'

Shoot! Foute boel! denkt Thijs. Ik moet hier weg! Ik moet weten hoe het met Isa is!

Hij werpt nog een laatste blik op het bed. De rechterarm van Marnix beweegt over het laken. Langzaam schuift zijn hand naar zijn mond.

Het zal toch niet ... denkt Thijs. Het kan toch niet dat ...

Met ingehouden adem kijkt hij toe. Marnix' vingers zijn gekromd. Alleen de duim steekt eruit en wijst in de richting van zijn gezicht.

Thijs begint te hijgen. Niet te geloven! Die sukkel steekt hem in zijn mond! Dat ventje ligt als een baby op zijn duimpie te sabbelen! Hier móét ik een foto van maken! Nu heb ik hem te pakken! Nooit, nooit zullen we nog last hebben van dat rottige kereltje.

Thijs perst zich nog wat verder tussen het raam en het kozijn in. Voorzichtig steekt hij zijn telefoontje onder het gordijn door. Hij kijkt op zijn schermpje en ziet de moeder van het bed opstaan. Marnix ligt nu vol in beeld. Soezerig kijkt hij in de lens, terwijl hij ontspannen op zijn duim zuigt. De snuit van de aap ligt in zijn nek.

Nu! Thijs drukt het knopje in. Een flits verlicht de slaapkamer. Een doodse stilte volgt. Niemand beweegt, niemand zegt iets. Dan draaien de gezichten van Marnix en zijn moeder traag naar elkaar toe. Hun ogen ontmoeten elkaar.

Weg! Nu! jakkert het door Thijs' hoofd. Hij laat zich achterovervallen, krabbelt overeind, klimt over het balkonhek en laat zich zakken.

'Wat was dat?' hoort hij de moeder van Marnix verbaasd vragen. 'Onweer?'

'Het leek meer op een flits,' antwoordt Marnix.

Thijs slingert zijn benen heen en weer langs de muur. Zijn handen pakken steeds een spijl verder beet.

Naar die tuinmuur toe, snel! zweept hij zichzelf op. Pas op! Trap niet tegen ramen! Help! Straks staat die pa ook nog in de tuin ...

Boven zijn hoofd hoort hij roetsj! het gordijn opzijschuiven.

'Heb jij dat raam zo ver opengezet?' vraagt de moeder van Marnix.

'Nee, gewoon. Net zo ver als anders.'

'Hoe kan dat dan?' De stem van de vrouw klinkt luid, alsof ze met haar hoofd al ver buiten het raam hangt.

Thijs' tenen raken de scheidingsmuur van de buren. Boven zijn hoofd wordt er aan de balkondeuren gerammeld. Snel laat hij zich aan de kant van de buren naar beneden zakken. Met zijn capuchon diep over zijn ogen getrokken maakt hij zich klein tussen een stel bloempotten.

De moeder van Marnix buigt zich over het balkonhek en kijkt naar beneden.

'Ga jij met papa in de tuin kijken,' roept ze naar binnen.

Fok! denkt Thijs. Als ze maar niet de buren gaan waarschuwen!

'Marnix!' klinkt opeens de stem van Isa van achter uit de tuin.

'Marnix, ben je daar? Ik moet je spreken!'

Thijs kreunt. Een pijnscheut trekt door zijn darmen.

Isa! Wat doet ze nou!

'Wát! Ben jij dat weer?' blèrt de moeder van Marnix vanaf het balkon. 'Wacht maar, meid. Ik kom naar beneden! Nu zul je ervan lusten!'

De keukendeur gaat open en Marnix loopt met zijn vader door de achterdeur naar buiten.

'Arie, achterin! Bij de schutting zit een meid. Snel!'

'Een meid? Moet ik daarvoor uit mijn stoel komen?' De vader van Marnix snuift boos. 'Wat wil je dat ik eraan doe?'

'Oppakken natuurlijk! Of bel de politie! Ook best. Maar doe wat!'

'Ik doe helemaal niks! Laat Marnix het zelf maar regelen. Ik denk dat hij wel weet wat die griet hier komt doen. Hij zal er wel om gevraagd hebben. Is het niet, Marnix? Begint dat gedonder met meiden nu al? Ga toch voetballen, man! Richt je daar nou eens op. Schiet nou maar op, naar binnen jij!'

Thijs hoort de deur dichtslaan.

Wauw! Dat scheelde weinig! Voorzichtig komt hij overeind. Nu snel naar Isa toe.

Nog even richt hij zijn blik naar het balkon. Machtig, nee! Boven zijn hoofd zweven de ogen van Marnix' moeder! Ze heeft zich ver over het hek gebogen en loert als een kat op hem neer.

'Jou ken ik ergens van!' schreeuwt ze.

Thijs' slapen beginnen te bonken. Hij sprint weg, rent de tuin door en klautert over de schutting. Aan de andere kant valt hij in het stikdonker naar beneden.

Weg! Weg! Het bloed jaagt door zijn hoofd. Zijn adem giert in zijn keel. Hij krabbelt overeind, wil gaan rennen, ziet dan in een flits een donkere schaduw op zich afkomen.

'Whaa!' schreeuwt hij als hij een hand op zijn arm voelt. Wild slaat hij om zich heen.

'Rustig nou! Ik ben het!'

'Isa?' Thijs snakt naar lucht. Hij lacht schril.

'Stil nou!' sist Isa. 'Kom mee!' Ze pakt zijn hand. Gewillig laat Thijs zich meevoeren, achter de tuinen langs, de straat weer op.

20 Tortelduiven

‘Daar zul je er eentje hebben!’ De moeder van Thijs veert op uit haar stoel en loopt de achterkamer in. ‘Ik hoop dat het Isa is.’ Ze legt in het voorbijgaan haar hand even op de knie van haar man. ‘Het zit me helemaal niet lekker dat ze in haar eentje de deur uit gegaan is. Eerst zo verdrietig en dan alleen het donker in … Bah, ik vind het maar niks.’

Ze plaatst haar handen tegen het raam en kijkt de donkere tuin in.

‘Ze zijn het allebei!’ zegt ze over haar schouder. ‘Hè, gelukkig maar.’ Ze zwaait, maar Isa en Thijs hebben geen oog voor haar.

Wat staan die twee nou geheimzinnig te doen? denkt ze. Wat hebben ze in hun hand? Het lijkt wel of ze ergens naar kijken. Het schijnt nogal lollig te zijn.

Thijs tilt zijn hoofd op en zwaait met zijn hele arm naar haar.

Hij doet alsof hij me in geen weken gezien heeft, denkt mam verbaasd. Ze zwaait terug. O, wat heerlijk, kijk hem lachen! Hij lijkt wel weer de oude Thijs!

Al pratend en lachend komen Thijs en Isa de woonkamer binnen.

‘Hoi mam, we zijn er weer!’

Kijk zijn ogen stralen! denkt mam. Zou dat allemaal door Isa komen?

‘Bah, Thijs, wat zijn je kleren vuil! Hoe komt dat?’

‘Gewoon,’ lacht Thijs, ‘een beetje wezen dollen.’ Hij duwt Isa voor zich uit naar de deur. Grinnikend lopen ze de kamer uit.

‘Volgens mij,’ zegt mam, ‘hebben we twee tortelduiven in huis!’

21 Zo mak als een lammetje

'Ik vind dat we deze foto moeten doen,' zegt Isa. Ze houdt het mobieltje voor Thijs' neus.

'Díé? Waarom niet die andere? Hier staat Marnix niet eens op. Je ziet alleen maar een Feyenoord-dekbed en een knuffelaap. Wie weet nou van wie dat bed is?'

'Marnix,' zegt Isa rustig.

'Ja, Marnix. Wat schieten we daar nou mee op? Het gaat er juist om dat de andere kinderen zien wat voor een duimsabbelende sukkel Slachter Mnix is.'

'Gaat het écht dáárom?' Isa kijkt Thijs onderzoekend aan. 'Het ging er toch alleen om dat we Marnix een lesje zouden leren?'

'Daarom juist!' Thijs rekt zich behaaglijk uit. 'Alle kinderen liggen slap van het lachen als ze die foto zien. Dan kan Marnix wel opzouten met zijn grote mond.' Verlekkerd kijkt hij naar de foto. 'Deze gebruik ik voortaan als screensaver!'

Zwijgend draait Isa een pluk haar rond haar vinger.

Wat zou papa ervan gezegd hebben? denkt ze. Welke foto had hij gekozen?

'Eigenlijk, Isa, heb ik het vooral voor jou gedaan,' zegt Thijs.

Isa kijkt op. Wat klinkt zijn stem verlegen.

'Ik vond het zó gemeen wat Marnix zei over jou en je moeder. Dat ging echt véél te ver.'

'Lief van je,' zegt Isa zacht. 'Het is je echt super gelukt.'

Als Thijs begint te blozen, geeft ze hem lachend een por.

'Maar, als je het voor mij gedaan hebt, mag ik zeker ook wel zeggen welke foto we gebruiken. Toch?'

'Hmm,' bromt Thijs.

'Dan doen we deze,' zegt Isa.

'Lekker balen!' Thijs trekt een scheef gezicht. 'Oké dan,' zucht hij. 'Geef maar op.' Hij verbindt zijn mobieltje met een kabel aan de computer. 'Maar snappen doe ik het niet,' moppert hij. 'Waarom niet die met zijn duim in zijn mond?'

'Omdat,' zegt Isa langzaam, 'ik me vergist heb in zijn motief.' Ze haalt het schrijfblok uit haar rugzak, pakt een stift en kijkt naar het woord **MACHT.**

'Dit klopt niet. Dat weet ik nu.' Ze schrijft een nieuw woord en laat het aan Thijs zien.

ONMACHT!!!!!

'Onmacht? Wat bedoel je? Waar slaat dat op?'

'Op Marnix' voetbalkunsten. Zijn pa en ma verwachten dat hij profspeler wordt. Maar Marnix heeft allang in de gaten dat zoiets hem nooit zal lukken. Hij is gewoon niet goed genoeg. Hij doet vreselijk zijn best, dat heb ik wel op de training gezien. Maar jij, Thijs, jij bent gewoon veel beter.'

'Nou en?' vraagt Thijs. Het klinkt onverschillig, maar Isa ziet dat zijn gezicht begint te stralen.

'Dat geeft Marnix toch niet het recht om anderen te pesten,' zegt Thijs terwijl hij vlug onder zijn bureau duikt. Hij rommelt wat met de kabels.

'Tuurlijk niet,' lacht Isa. Ze heeft allang gezien dat Thijs weer bloost tot achter zijn oren. 'Maar we houden bij onze straf rekening met het motief van de dader,' gaat ze verder. 'Dat doet een rechter ook.'

'En als je nou geen gelijk hebt? Als Marnix toch pest omdat hij er lol in heeft?'

Isa denkt even na.

'Dan hebben we altijd nog die andere foto. Dat kunnen we hem alvast vertellen.'

PAS

Thijs opent msn.
'Zou er nog iemand online zijn?' vraagt Isa.
'Die sukkel van een Marnix wel!' lacht Thijs. 'Die zit met zijn duim in zijn mond af te wachten!'
'Laat mij maar even.' Isa buigt zich ver over Thijs heen. Terwijl haar vingers over de toetsen gaan, vegen haar haren langs Thijs' wang.

☺ Superfan Huntelaar zegt:

☺☺☺ Ik heb een leuk fotootje voor je Marnix!!! ☺☺☺ Check maar in je mail. Wil je er nog meer zien?☺☺☺ Dat kan!!! La maar horen☺☺☺

'Mail die ene foto maar naar Marnix.'
'Alleen naar Marnix?' mompelt Thijs, terwijl hij de foto verstuurt. 'En de andere kinderen dan?'
'Als Marnix ook nog maar één keer pest, doen we dat meteen!' zegt Isa.

☹☹☹ Slachter Mnix zegt:

☹☹☹Hoef die fotos niet☹☹ Vin ze niet chill☹☹☹

'Zo!' Thijs fluit verbaasd. 'Dat klinkt braaf! Er staat niet één scheldwoord tussen. Dat joch is opeens zo mak als een lammetje. Wacht, ik moet ook nog wat met hem regelen.' Hij begint snel te typen.

☺ Superfan Huntelaar zegt:

☺☺☺ Marnix, kun jij sorry zeggen??? Probeer maar, tis niet zo moeilijk! ☺☺☺

☹☹☹ Slachter Mnix zegt:

sorry

'Kun jij lezen wat er staat?' vraagt Thijs.
'Ik wel,' zegt Isa.
'Chill!' lacht Thijs. 'Want het is voor jou!' En zomaar opeens geeft hij haar een zoen.
Isa voelt dat ze knalrood wordt. Snel staat ze op.
'Ik ga slapen,' zegt ze, terwijl ze naar de gang vlucht.
Op de overloop, in het halfdonker, blijft ze staan. Teder legt ze haar gloeiende gezicht tegen Thijs' deur. Pas als haar adem weer tot rust gekomen is, drukt ze de klink omlaag.
'Thijs,' zegt ze met alleen haar hoofd om de hoek, 'ik wil alleen verkering met je als je in de selectie komt. Doe dus morgen maar goed je best op de training!'

Andere boeken uit de serie NIEUWS!

Julia's droom

Julia Coolen wordt 'ontdekt' op de uitvoering van haar toneelvereniging.
Henk Breen heeft een bedrijfje in feestartikelen gekocht.
Een miskoop: een loods vol troep, meer is het niet.
Ralf Terlingen wordt op een dag zó ziek dat zijn vader
hem van school moet ophalen.
Wat hebben deze mensen met elkaar te maken? Niets.
Ze zouden ook nooit iets met elkaar te maken krijgen als ze niet
toevallig tegelijkertijd op een grote rotonde reden ...
En in een kettingbotsing terechtkwamen.

*Bies van Ede las het bericht 'Botsing bij Rottepolderplein'
in de krant en bedacht dat een botsing naast narigheid
misschien ook wel iets leuks kan opleveren. Lees dit boek maar!*

Teuntje Knol
en de knotsgekke honden

Teuntje Knol is een stoer meisje. Ze schaamt zich dood voor haar moeder. Die heeft een warenhuis vol tuttige hondenspulletjes en is dol op van die schattige schoothondjes. Wat is de nieuwste mode voor honden?
Een belangrijke vraag voor de moeder van Teuntje!
Nu is er een hondenshow op komst. De moeder van Teuntje heeft het er maar druk mee. Het mopshondje van mevrouw Paddeburg doet namelijk ook mee en de dames doen er alles aan om elkaars hondje te laten verliezen.
Dan wordt het tijd voor Teuntje om in actie te komen ...

Sanne de Bakker las in de krant het bericht 'De nieuwe kledinglijn voor honden'. Het sprak haar meteen aan. Met dit nieuwsbericht begint dan ook haar knotsgekke verhaal.